Le
chic,
le chèque
et le choc

Le chic, le chèque et le choc

DANIÈLE COUTURE

3 Deux mariages…
et un divorce !

Libre Expression
Une société de Québecor Média

Catalogage avant publication de Bibliothèque et Archives nationales du Québec
et Bibliothèque et Archives Canada

Couture, Danièle, 1955-

      Le chic, le chèque et le choc
      Sommaire : 3. Deux mariages... et un divorce!.
      ISBN 978-2-7648-0879-5 (vol. 3)
      I. Couture, Danièle, 1955- . Deux mariages... et un divorce!. II. Titre. III.
Titre : Deux mariages... et un divorce!.

PS8605.O921C44 2013   C843'.6   C2013-940324-8
PS9605.O921C44 2013

Édition : Miléna Stojanac
Révision linguistique : Marie Pigeon Labrecque
Correction d'épreuves : Sabine Cerboni
Couverture, grille graphique intérieure et mise en pages : Clémence Beaudoin
Photo de l'auteure : Sarah Scott

Cet ouvrage est une œuvre de fiction ; toute ressemblance avec des personnes ou des faits
réels n'est que pure coïncidence.

Remerciements
Nous reconnaissons l'aide financière du gouvernement du Canada par l'entremise du Fonds
du livre du Canada pour nos activités d'édition.
Nous remercions le Conseil des Arts du Canada et la Société de développement des entre-
prises culturelles du Québec (SODEC) du soutien accordé à notre programme de publication.
Gouvernement du Québec – Programme de crédit d'impôt pour l'édition de livres – gestion
SODEC.

Les Éditions Libre Expression
Groupe Librex inc.
Une société de Québecor Média
La Tourelle
1055, boul. René-Lévesque Est
Bureau 300
Montréal (Québec) H2L 4S5
Tél. : 514 849-5259
Téléc. : 514 849-1388
www.edlibreexpression.com

Dépôt légal – Bibliothèque et Archives nationales du Québec et Bibliothèque et Archives
Canada, 2014

ISBN : 978-2-7648-0879-5

Distribution au Canada
Messageries ADP
2315, rue de la Province
Longueuil (Québec)
J4G 1G4
Tél. : 450 640-1234
Sans frais : 1 800 771-3022
www.messageries-adp.com

Diffusion hors Canada
Interforum
Immeuble Paryseine
3, allée de la Seine
F-94854 Ivry-sur-Seine Cedex
Tél. : 33 (0)1 49 59 10 10
www.interforum.fr

« Un seul être vous manque et tout est dépeuplé. »
Alphonse de Lamartine

C'est ce que pensent et vivent mes héroïnes,
comme toutes les femmes passionnées, d'ailleurs.
Comme vous assurément, mais aussi comme moi.

1

Le quatuor réuni

— Tu crois qu'il laisserait sa femme pour toi? demande la belle Sarah aux yeux si bleus, en poussant une mèche de ses cheveux blonds de côté.

— Hum… difficile à dire, répond Brigitte. Il me semble tellement amoureux quand on fait l'amour, mais après, il reprend son air sérieux de banquier, et là, je ne sais plus. Il s'étend sur le dos, met ses mains derrière sa tête, alors que j'aurais tant envie qu'il me prenne dans ses bras et qu'il me dise des mots d'amour. Il devient, comment dire… plus distant, ajoute-t-elle, avec une pointe de tristesse dans les yeux.

— C'est qu'il a eu son bonbon, remarque Sarah.

Rassemblées au restaurant Helena de la rue McGill, les amies se consultent pour choisir l'apéro. Le serveur les regarde à tour de rôle, dans l'espoir qu'elles se décident. Finalement, elles optent pour une bouteille de vin pétillant.

Brigitte croque une olive et laisse ses lèvres charnues se refermer sur le noyau. Elle est visiblement songeuse. Elle rejette enfin le noyau et prend une autre olive, qu'elle grignote, cette fois-ci, à petits coups de dents, tel un écureuil. En poussant un long soupir, la jeune femme pose le coude sur la table, laisse tomber sa tête dans une main, puis de l'autre s'applique à corner sa serviette. À ce moment, le serveur revient avec une assiette d'amuse-gueules et le vin mousseux.

— Voilà quelques bouchées pour vous faire patienter, gracieuseté de la maison! s'exclame-t-il avec le sourire.

— Ah! Merci! font les filles en chœur.

— C'est joli, tes cheveux noirs, ça te va vraiment bien! dit Justine, pour parler de choses plus « neutres » pendant que le garçon s'affaire.

— Merci! répond Brigitte. Christian m'a dit qu'il préférait ça, alors je les ai teints en plus foncé et je les laisse pousser pour lui faire plaisir.

— Ah! Ce qu'on ne ferait pas pour les hommes! laisse tomber Chloé en souriant au serveur.

Amusé, ce dernier sert le vin pendant que Brigitte, pressée de reprendre sa conversation, agite son pied sous la table.

— Il baise tellement bien! continue-t-elle aussitôt le serveur reparti. Je l'ai dans la peau, je ne peux plus m'en passer. Dès qu'on se quitte, j'ai hâte au prochain rendez-vous, au prochain texto, au prochain courriel, à la prochaine baise!

— Et ton mari ne se doute de rien? demande Chloé.

— Parfois, j'ai l'impression que oui. Il me pose de drôles de questions, enfin, drôles pour quelqu'un comme moi, qui a une aventure. Peut-être que c'est moi qui interprète tout de travers au fond.

— C'est possible, approuve Sarah.

— Puis le temps passe et je me dis que non, il ne se doute de rien. Et deux jours plus tard, ça recommence.

Pensez-vous que c'est parce que je sais que je crois que lui sait? Mouais, *this is not very clear...*

— On comprend, font les filles.

— Probablement, concède Justine, car toi, tu es à l'affût de toutes ses paroles et tu interprètes chaque détail, alors que lui parle de tout et de rien, sans avoir nécessairement autre chose en tête.

Sarah demande, en tendant la main vers les amuse-gueules :

— Est-il possible que les hommes aient un sixième sens comme nous? On n'est peut-être pas les seules à l'avoir, non?

— Non, je crois que c'est bien féminin, ça. Les hommes peuvent se poser des questions, mais c'est plutôt à la suite d'un événement, remarque Justine.

— Oui, tu as sans doute raison, acquiesce Sarah, en croquant à belles dents dans son craquelin garni de saumon fumé.

— Mais sa femme en a un, sixième sens, il m'a dit qu'elle se doute de quelque chose, déclare Brigitte.

— Mouais, fait Justine, ça ne va pas bien, votre affaire, si vos deux conjoints croient que vous avez une liaison, vous risquez d'être découverts plus vite que vous ne le pensez! Si tu avais couché avec lui une fois seulement, pour ensuite te convaincre que tu t'es fait plaisir et que ça finit là, ce serait moins pire.

— Que faire pour se débarrasser de ce sentiment? Je l'aime! déclare Brigitte.

Les amies ne savent que dire. La relation que Brigitte entretient avec son amant les laisse perplexes. Puis Justine brise le silence.

— Moi, quand j'ai essayé de me défaire de l'amour, c'est le contraire qui s'est produit, mon sentiment a quintuplé même. Tu vois, parfois, c'est pour le mieux que ça arrive.

— En tout cas, s'exclame Brigitte, moi, avec Jean et Christian dans ma vie, j'en ai plein les bras!

— Jean qui rit, Jean qui pleure, j'ai l'impression que ce sera le Jean qui pleure que tu auras si jamais il l'apprend, dit Justine.

— Tu dois le savoir, déclare Sarah, les hommes sont parfois si égoïstes, ils n'ont aucune idée du tort qu'ils peuvent causer! Toi, tu es amoureuse, alors que lui a peut-être juste envie d'une aventure. Avant de gâcher ta vie, demande-lui clairement s'il veut laisser sa femme pour toi, juste pour voir sa réaction. Tu seras fixée après et tu ne joueras pas toute ta vie pour un homme qui n'est pas plus prêt à s'engager que «l'adulescent» de Chloé.

— Ouais, bonne idée! renchérissent les autres.

Si Christian savait qu'il faisait l'objet de la discussion, qu'il était la cible de la soirée, en somme, parce qu'il met la vie d'un des membres du quatuor en péril, qu'il avait inconsciemment mis en branle l'instinct de protection du clan, peut-être prendrait-il la poudre d'escampette aussitôt.

Confirmant les appréhensions du groupe, Brigitte regarde ses amies une à une puis bredouille, comme une petite fille coupable d'une bêtise :

— Il m'a dit l'autre jour que c'était trop tôt pour parler de ça.

— Mouais, trop tôt, fait Justine, mais en attendant, il veut toujours te voir pour baiser. Repose-lui la question alors, et demande-lui de préciser ce qu'il compte faire, si tu te fais prendre par Jean. Est-ce qu'il laisserait sa femme pour toi?

— T'en auras le cœur net, dit l'une.

— Oui, je suis d'accord, c'est la meilleure solution, approuve Chloé.

— Bon, ça va, vous m'avez convaincue, réplique Brigitte. Je vous promets que, la prochaine fois, je lui poserai toutes les questions et je vous ferai un rapport complet en trois copies.

— *Salute!* lance Sarah en levant son verre. Le conducteur imprudent de panier d'épicerie n'a qu'à bien se tenir, car il aura affaire à nous!

— Oui, acquiesce Justine, nous autres, on ne te laissera pas gâcher ta vie pour un homme qui n'en vaut pas la peine et qui veut juste coucher avec toi!

— *Salute!* clament les filles haut et fort en trinquant.

— Une pour toutes, toutes pour une! ajoute Justine.

2

Un « Trois-C », ça presse !

En attendant son « adulescent » à la terrasse d'un café, Chloé regarde les passants, non sans montrer un certain agacement. Malgré un ardent soleil d'automne qui plombe sur le petit carré aménagé de fleurs en bordure du trottoir, elle ne réussit pas à profiter d'une des dernières belles journées de la saison.

Histoire de s'assurer qu'elle n'aurait pas manqué l'appel de Sébastien, elle vérifie pour la cinquième, peut-être même la sixième fois – elle en a perdu le compte exact –, son cellulaire.

Qu'est-ce qu'il fait encore, celui-là ! Il ne sera donc jamais capable d'être ponctuel ! Vingt minutes déjà que je l'attends !

En effet, l'« adulescent » de Chloé n'a pas changé depuis leur rencontre, qui remonte à quelques mois déjà. Lire ici : il a toujours une peur terrible de s'engager, qui se traduit par une poussée de boutons, un genre d'allergie sévère, quoi ! Qu'adviendrait-il si sa ponctualité était interprétée par Chloé comme une forme d'engagement? Le pauvre, quand va-t-il se décider à troquer le «escent» du mot «adulescent» contre un «te», comme dans «adulte», tout simplement?

À vingt-huit ans, il serait à peu près temps!

D'un geste impatient, Chloé regarde sa montre une autre fois. Et si elle s'était trompée d'heure? Elle prend son cellulaire, repasse ses textos et constate que, non, c'est encore lui qui est en retard. Elle texte:

«Où es-tu? Je t'attends…: (»

C'est la dernière fois qu'il me fait le coup! Hum… il me semble avoir déjà dit ça…

Chloé sirote sa bière, et comme elle arrive presque au fond de son verre, se demande si elle doit en commander une autre ou repartir.

Je lui donne cinq minutes et je m'en vais! Oui, à une heure cinq minutes pile, je fous le camp, il va arrêter de me niaiser de même, celui-là! Ça va lui apprendre aussi! J'aurais jamais dû tolérer ça, maintenant il se croit tout permis!

Chloé regarde si elle a reçu une réponse, mais constate que non. Elle envoie un autre texto.

«Tu arrives????»

Puis elle ajuste l'alarme de son cellulaire à cinq minutes et le repose dans son sac à main par terre.

En cas de besoin.

Juste au cas où elle serait tentée de lui donner une autre chance, à son «adulescent». Ça s'est vu.

Cinq minutes, pas une de plus!

Enfin, elle croise les jambes, faisant retrousser du même coup sa jupe sur sa cuisse. Elle s'assure que son décolleté ne découvre pas une trop grande partie de sa généreuse poitrine. Puis, de ses deux mains, elle relève sa magnifique chevelure rousse, la laisse retomber librement sur son dos. Pour passer le temps, elle examine les gens déambuler dans la rue. C'est alors qu'elle aperçoit un homme, un Apollon serait plus juste, dans la jeune trentaine, qui descend d'une rutilante Porsche Carrera décapotable bleu métallique. Sa vue distrait Chloé un moment de son mécontentement.

Hum! Tout un pétard, celui-là...

L'homme se dirige vers une borne de paiement, tandis que Chloé le suit toujours des yeux. Elle peut maintenant voir le côté «fesses», dans son jeans bien coupé, de ce charmant conducteur au bel arrière-train pendant qu'il paie son stationnement.

Des fesses musclées, comme je les aime à part ça... Pas vilain, ce type!

Enfin, l'homme se retourne, remet son portefeuille dans sa poche.

Chloé le regarde discrètement en se demandant bien qui est l'heureuse élue qui accueillera le bel homme, mais écarquille bientôt les yeux, puisqu'il marche, en sifflotant, en direction de la terrasse. Juste à ce moment, Chloé entend la sonnerie qui lui signale les cinq minutes écoulées.

Shit!

Elle se penche vers son sac à main pour éteindre l'alarme de son téléphone, et à ce moment précis, apparaissent dans son champ de vision deux chaussures d'un beau cuir ambré qui la font figer complètement.

Chloé ravale sa salive, relève la tête et tombe dans les yeux de l'homme à la Porsche, qui jette maintenant un coup d'œil dans son décolleté, car il a une vue plongeante de ce côté! Quel choc pour Chloé! Euh! Quel chic plutôt! Et sûrement un chèque puisque le bellâtre se promène en Porsche! Elle rougit jusqu'aux oreilles. L'homme dit, en désignant la chaise devant elle:

— Je peux?

— C'est que j'attends quelqu'un, répond Chloé.

— On attend toujours quelqu'un, dit l'homme. Pourquoi continuer d'attendre?

Il opère, ce mec...

— Je peux t'offrir un verre?

— Non, merci, j'ai déjà de la bière.

— La bière, c'est le champagne des pauvres, laisse-moi t'offrir du vrai champagne.

Hum! Pas une mauvaise idée, et si Sébastien arrive, ce sera encore mieux!

— Si tu insistes, fait Chloé, je veux bien.

L'homme se tire une chaise, lève la main pour appeler la serveuse, qui ne l'a pas quitté des yeux et semble en pincer pour lui. Elle accourt aussitôt en se déhanchant, se trémousse devant lui, puis lui demande d'une voix suave :

— Qu'est-ce que je vous sers ?

Et comme elle fait fi de Chloé qui est juste à côté, l'homme dit :

— Deux coupes de champagne, s'il vous plaît.

La serveuse repart, déçue sans doute de ne pas être à la place de Chloé.

— Comment t'appelles-tu ?

— Chloé. Et toi ?

— Quel joli prénom ! Moi, c'est Charles.

Charles, j'aime bien !

— Et tu es très jolie, j'adore les rousses ! continue Charles.

— Ah ! Tu es un charmeur, toi !

— On peut dire à une femme mille fois qu'elle est jolie et elle ne nous croit pas, on lui dit une fois qu'elle devrait perdre un ou deux kilos et elle nous en veut pour la vie !

Chloé pouffe de rire.

— Quand tu ris comme ça, tu es encore plus jolie, ça me donne juste le goût de t'embrasser.

« So fucking early ! » me dirait Brigitte.

— C'est un peu tôt pour ça, non ?

— Une femme a toujours le droit de dire non à un homme.

— Dit comme ça, laisse tomber Chloé.

Il n'y en a pas beaucoup qui doivent réussir à lui dire non, à celui-là !

La serveuse arrive, pose les deux verres devant eux. Chloé sort son porte-monnaie, plus pour tester qu'autre chose. Charles repousse sa main aussitôt et, sur un ton impératif, dit simplement :

— Laisse.

Il règle l'addition. Pendant ce temps, Chloé établit sa fiche descriptive : grand, cheveux très noirs, légèrement ondulés, yeux brun foncé très vifs, sourire charmeur, dents immaculées, aussi beau et racé que sa Porsche, en conclut-elle.

— On fait un toast ? À notre rencontre ! fait-il en faisant tinter sa coupe contre celle de Chloé.

Puis il cale la moitié de sa coupe d'une traite.

Il n'est pas alcoolo sur les bords, lui ? Hum ! À surveiller !

— Alors, dis-moi, qui est cet homme qui te fait attendre comme ça ? demande Charles, un sourire enjôleur aux lèvres.

— Ah ! Un ami, c'est… un gai, oui, un gai ! fait Chloé avec un geste de la main. Il est toujours en retard !

J'espère qu'il va continuer de jouer à ses petits jeux vidéo, celui-là, et qu'il n'aura pas l'idée de se pointer quarante minutes en retard !

D'ailleurs, pour s'en assurer, elle lui texte :

« Suis partie. »

Puis elle dit :

— Tu offres du champagne comme ça à toutes les étrangères que tu rencontres ?

— Non, fait Charles, j'en ai eu envie seulement lorsque je t'ai aperçue. Je me suis dit que c'était du vrai gaspillage de laisser une jolie femme comme toi toute seule sur une terrasse.

Et un play-boy en plus ! Il faut que je fasse attention à ce genre d'hommes…

C'est ce moment que choisit Sébastien pour arriver. Son regard se promène de Chloé à l'inconnu, sans pouvoir se poser. Le jeune homme embrasse finalement

Chloé à pleine bouche – ce qu'il ne fait jamais en public, autre preuve «terriblement accablante d'engagement» – puis il demande sur un ton glacial :

— Mais c'est qui, ce gars-là?

3

Premier nuage à l'horizon...

É troitement enlacés sur le canapé moelleux, Justine et Zib sirotent un verre de vin en admirant la ville qui scintille dans la nuit, tout en écoutant une douce musique. Le bras de Zib repose sur les épaules de Justine et il s'amuse à enrouler autour de ses doigts une mèche de ses cheveux châtains, aux mêmes reflets dorés que ses yeux.

— Je suis si heureuse ! s'exclame Justine en se pelotonnant contre Zib, son mari depuis peu, dont elle est éperdument amoureuse.

— Justement, ma chérie, je voulais te parler. J'attendais un moment comme celui-ci pour qu'on puisse discuter d'un projet que j'ai en tête.

— Mais de quoi veux-tu discuter ? Tu as l'air si sérieux tout à coup.

Et pour mieux voir ce qui se cache derrière tout ça, elle se détache de lui et, de ses yeux inquiets, lui pose mille et une questions.

— J'ai reçu une offre pour aller peindre à Paris, annonce-t-il.

— Et?

— Bien… ça m'intéresse.

— Peindre à Paris ou à Montréal, c'est pareil, non?

— Oui, quand il s'agit de peindre, mais à Paris, je serai en contact avec d'autres artistes, ça va me permettre d'avancer, d'apprendre de nouvelles techniques.

— Ah, c'est intéressant, mais nous deux là-dedans?

— Bien, on irait ensemble. J'aimerais que tu viennes vivre là-bas avec moi quelque temps. Puis, on verra, peut-être qu'on aimera ça, vivre à Paris, et sinon, on reviendra à Montréal, c'est tout.

— Mais tu oublies que j'ai une galerie d'art?

— As-tu déjà pensé que tu pourrais la vendre? Tu en obtiendrais sûrement un bon prix, je suis sûr qu'elle est la mieux cotée à Montréal.

— Mais, Zib, je ne veux pas vendre! C'est mon bébé, la galerie de mon père que j'ai sauvée de la faillite, c'est si important pour moi.

— Oui, je sais, mais c'est un projet auquel j'ai pensé, j'ai cru que, toi aussi, tu pourrais en bénéficier. Imagine, on pourrait se faire une vie bien chouette à Paris…

— Ah ça, oui, une vie bien chouette! C'est vrai qu'ici je n'ai pas de famille, pas d'amies, pas de job, je n'ai rien, quoi, je suis juste une pauvre fille qui n'a rien réussi dans la vie! Je n'avais pas pensé à ça, t'as raison, vu comme ça, ton projet est magnifique!

C'est Brigitte qui avait raison! Les hommes jugeront toujours que leur carrière est plus importante que celle de la femme, quoi qu'on pense!

— Ne t'emporte pas, je disais ça comme ça, je voulais juste en discuter avec toi.

Justine se recroqueville sur elle-même et se retient pour ne pas pleurer.

— Et puis, continue Zib, tu ne serais pas obligée de vendre, tu dis toujours que ton gérant est merveilleux, il pourrait s'occuper de la galerie et tu pourrais revenir à Montréal à l'occasion, disons une fois par mois, pour t'assurer que tout va bien.

— Ce n'est pas assez, Luc ne peut pas tout faire seul, je m'en irais tout droit à la faillite ! Être ici une semaine une fois de temps en temps, ce n'est pas suffisant, du moins, pas quand on est en affaires.

— Tu n'aurais même pas à travailler, si tu le voulais, mes tableaux se vendent bien maintenant.

— Zib, tu n'es pas sérieux, là… C'est toi qui me demandes ça ?

Justine est estomaquée. Elle qui croyait filer le parfait bonheur, voilà qu'elle se rend compte que se tramaient dans la tête de son amoureux des projets dont il ne l'avait pas mise au courant.

— Justine, ne va pas croire que c'est un problème entre nous, voyons…

— Mais… est-ce que tu m'aimes encore ? demande Justine, tristement.

— Bien sûr que je t'aime, autant qu'avant, sinon plus. Ça n'a rien à voir !

Zib relève la tête de Justine pour la forcer à le regarder et il lui donne plein de petits baisers sur les lèvres.

— J'ai pensé que ce serait fantastique. Tu imagines, nous pourrions vivre à Paris, être vraiment dans le milieu de l'art. Pour toi aussi, ce serait profitable. Je suis certain que tu pourrais dénicher du boulot là-bas, tu es si extraordinaire. Vois ce que tu as réussi pour moi et pour tous les autres artistes, tu es si merveilleuse, tu réussis tout !

— Oui, et vois ce que tu en fais, ne peut s'empêcher de rétorquer Justine.

— Bon, je me doutais que ça ne te plairait pas…

— Alors si tu savais, pourquoi tu fais comme si c'était rien pour moi ?

En disant ces mots, Justine se lève et s'en va dans la cuisine. Elle enfile ses gants pour laver la vaisselle. Elle ramasse les assiettes sales du souper, les met au lave-vaisselle. Et puis Zib s'approche d'elle, se colle contre son dos et lui glisse à l'oreille :

— Je t'aime, Justine, tu le sais, ça, mais je ne peux pas être celui qui reste là à ne rien faire, alors qu'il y a tant à apprendre à Paris. J'ai besoin de ça, il faut que j'avance, sinon je ne pourrai pas être heureux.

— Mais si c'est ce que tu veux, je peux me mettre en relation avec des galeries pour exposer aussi tes tableaux là-bas.

— J'ai… déjà quelqu'un, Justine.

— Comment ! Qui, ça ?

— Une dame, une aristocrate, elle croit que je ferai un tabac à Paris, comme elle dit, elle adore mes tableaux, elle a dit qu'elle me présenterait à tout le monde du milieu. Imagine ! Elle tient encore salon, comme Mme Stein à l'époque, tu vois le genre ?

— Le genre ? Non, je ne le vois pas. Ce que je vois, c'est plutôt le fait que tu me dises tout ça maintenant, et que moi, je n'en ai jamais entendu parler avant.

— C'est qu'elle m'a contacté par courriel. Ah ! J'avais raison de ne pas t'en parler avant, je savais que tu ne serais pas d'accord !

— Parce que tu as décidé que je ne serais pas d'accord, tu ne m'en parles pas, ce n'est pas une belle philosophie de couple, ça ! répond Justine. On peut dire que, si t'as du génie en art, t'en as vraiment pas en intelligence émotionnelle…

4

Post-déception

Tout le personnel de l'agence de publicité a été convoqué par Elliot dans la grande salle de réunion, qui a une magnifique vue sur le mont Royal. Assis dans de confortables fauteuils de cuir noir, les employés écoutent leur président, qui leur parle de chiffres, les stimule à donner tout ce qu'ils peuvent, fait ressortir les points saillants des derniers mois, attire leur attention sur certaines statistiques. Au beau milieu de la réunion, Elliot fait une pause, regarde furtivement Sarah. Puis il passe une main distraite dans sa chevelure blonde et abondante avant de présenter un nouveau PowerPoint.

— Voilà, dit-il, pour ce qui est de la nouvelle publicité de la chaîne de magasins Pactout, la campagne a coûté cent mille dollars, et on vise des retombées qui augmenteraient leur chiffre d'affaires de quinze pour cent dès la première année.

— Et à combien se chiffre-t-il ? demande Sarah.

— Deux millions de dollars, plus ou moins.

— Pas si mal pour une compagnie qui offre des cartons d'emballage, laisse tomber Sarah.

Elliot s'attarde un peu plus longtemps que nécessaire sur Sarah. Elle soutient son regard, admire la facilité qu'il a à s'exprimer devant les employés, sa force. Elle se rappelle les caresses de sa folle nuit, qui la font encore rêver, mais aussi leur première rencontre dans les toilettes de la salle de réception du mariage de Justine, lorsque la fermeture éclair coincée d'Elliot le faisait souffrir le martyre.

Elle pense à ses paroles : «Imaginez en plus que nous soyons mariés, quelle belle histoire pourrions-nous raconter à nos enfants ! Comment papa et maman se sont rencontrés, ne trouvez-vous pas ? » Elle avait rétorqué qu'il avait sauté des étapes importantes, alors qu'il s'était targué de partager déjà un secret avec elle. Puis il lui avait dit de cesser de réfléchir sur tout, l'avait fait tournoyer sur la piste de danse et… sa tête s'était mise à tourner, jusqu'à ce qu'elle soit malade dans les magnifiques plates-bandes.

Un secret, ensemble…

Elle ne peut réprimer un sourire. Chez lui, tout lui plaît : ses mâchoires puissantes, son nez un peu fort, ses jambes d'athlète, ses yeux si perçants, troublants. Ces souvenirs impriment dans son cœur un désordre qu'elle tente bien vainement de maîtriser.

Pas qu'elle le veuille…

— Pour la prochaine année, continue-t-il en passant derrière les employés assis à la grande table ovale, nous devrons travailler aussi fort et même plus pour faire face à la concurrence. L'agence Trois-B a obtenu des contrats que nous aurions dû avoir. Son président, Hubert Korniac, veut nous engloutir. Il ne faut pas lui laisser une chance parce que, lui, ne nous en laissera aucune. C'est un vrai requin. Il faut le surveiller, il veut acquérir nos parts du marché.

Des yeux, Sarah le suit. Son cœur bat la chamade, cogne encore plus furieusement dans sa poitrine à mesure qu'Elliot approche. Enfin, alors qu'il passe près d'elle, il fait glisser sa main sur le dossier de son fauteuil, touche au passage une mèche de ses cheveux dorés.

— Le contrat de Pactout est important, on l'a eu, mais il faut que la campagne nous démarque claire-ment, il faut doubler nos efforts…

Elliot continue son discours, mais Sarah ne saurait dire quel en est le sujet, trop prise par la sensation que lui procure cette furtive caresse dans ses cheveux. Elle reconnaît le chaos que le patron sème en elle, mais n'écoute plus ses propos.

Elle pense plutôt à la main d'Elliot, qui se pose-rait sur son épaule, descendrait le long de son bras, effleurerait un sein au passage, le galbe de sa hanche. Des frissons parcourent son corps, faisant hérisser ses poils. Puis, elle imagine Elliot qui, d'un mouvement subit, la ferait pivoter sur son fauteuil, la soulèverait de ses bras puissants, la serrerait tout contre lui et l'embrasserait fougueusement pendant que ses mains furèteraient de-ci de-là. Bientôt, la boucle formée par la petite cordelette qui ferme son chemisier glisserait dans sa loupe, découvrirait au passage la naissance de ses seins. Les agrafes éclateraient l'une après l'autre dans un petit bruit sec, touk, touk, touk. Puis, ce serait au tour de la fermeture éclair derrière la petite jupe noire de subir les ardeurs de son assaillant, elle tom-berait par terre, entraînerait dans sa chute la petite culotte de Sarah, dans une synchronie parfaite, en un seul et même mouvement.

Ardeur du désir oblige.

De ses mains, Sarah caresserait le sexe tendu d'El-liot à travers le tissu de son pantalon, puis déferait sa ceinture, baisserait sa fermeture. Enfin, il l'empoi-gnerait sous les fesses en la tenant contre son bassin et s'emprisonnerait dans ses longues jambes satinées.

— Sarah ! fait Natasha.

Sarah est perdue dans ce fantasme qui la consume complètement.

— Saaaaraaaah ! lance encore Natasha.

— Euh… Oui, quoi ? répond Sarah, embarrassée.

— C'est tout ce que ça vous fait ?

Sarah se rend compte qu'elle a perdu un bout important de la réunion. Elle doit répondre à cette question. Différents scénarios s'imposent qui justifie-raient quelque mention, honorable ou pas, de la part de Natasha-la-vautour.

Merde ! Qu'est-ce que ça me fait ? J'ai l'air d'une belle conne…

— Euh… vous pouvez répéter, s'il vous plaît ? bredouille-t-elle.

Suzie-la-chipie éclate d'un rire mauvais et dit quelque chose à l'oreille de sa voisine.

— Je viens de vous nommer recrue de l'année ! Vous êtes dans la lune ou quoi ? Peut-être que je devrais réévaluer la nomination !

— Moi ? Recrue de l'année ?

— Oui, vous !

Suzie-la-chipie n'en peut plus et crache son venin à sa voisine en sifflant comme un serpent. Sarah regarde à la ronde pour trouver d'où vient ce chuchotement dérangeant. Elle voit alors Suzie, ses boucles qui entourent son visage, sa bouche pincée en un petit O tout plissé. De ses yeux bruns, comme deux entailles faites au couteau, elle fixe Sarah méchamment.

Merde ! La chipie ! Qu'est-ce qu'elle va raconter ?

Mais Suzie-la-chipie a déjà compris qu'il vaut mieux ne pas affronter Sarah devant son patron si elle veut garder son emploi.

Sarah pousse un long soupir de soulagement tandis que son cœur se calme un peu. Elle dit :

— Merci, Natasha, je suis vraiment reconnaissante.

Le sourcil droit relevé, méfiante, comme à son habitude, Natasha scrute Sarah de ses grands yeux noirs en demi-lune. Elle renifle un petit coup sec, comme les cocaïnomanes ne peuvent s'empêcher de le faire à tout moment, et laisse échapper de sa bouche en forme de parenthèse couchée, mais contraire à un sourire :

— Vous avez bien travaillé. J'ai été bien inspirée en vous embauchant.

— Oui, Sarah mérite cette mention, reprend Elliot, puisque, depuis son arrivée au sein de la compagnie, il y a à peine trois mois, elle a obtenu sa certification Google, est allée chercher un gros client qui nous permettra de faire notre entrée dans le monde de la lunetterie, et en plus, elle a déjà amassé soixante-quinze mille dollars pour la campagne de financement de l'Hôpital Sainte-Justine. On peut dire qu'elle a su se démarquer nettement par son efficacité et son entrepreneuriat.

Tous les employés applaudissent, sauf Suzie, qui rage encore plus et qui, le nez plissé, s'acharne à frotter vigoureusement une tache de stylo imprimée sur sa main.

Deux mois ont passé depuis cette nuit mémorable où Elliot et Sarah ont couché ensemble. Cette soirée pendant laquelle Elliot lui a aussi révélé que l'amour avec lui lui ferait perdre son emploi. Un emploi dont Sarah a grand besoin puisqu'elle est toujours mère monoparentale. Adam, son ex-mari, est complètement sorti de sa vie, occupé à folâtrer avec des hommes en Europe.

Peut-être.

Mais dans la jolie tête blonde de Sarah, un problème de taille demeure puisque le fait d'avoir goûté à l'amour avec le président de la compagnie l'empêche désormais de le voir uniquement ainsi. Elle n'arrive pas à se débarrasser des images insistantes qui la bombardent, sans qu'elle le veuille, dans des moments où elle ne s'y attend pas. Pas plus qu'elle n'arrive à comprendre pourquoi il ne l'a pas avertie avant de faire l'amour qu'elle risquait le congédiement en couchant avec lui.

Don't fuck with the payroll! avait-il convenu avec son ex.

Malgré ce mensonge – ou cette omission, c'est selon –, qui les a séparés tout à fait, Sarah a de nouveau envie de lui ouvrir ses bras et de l'accueillir dans ses draps.

5

Une poupée érotique ?

— As-tu trouvé ta poupée érotique ? demande Justine en riant.

— Bien non, tu sais bien, je disais ça à la blague. Je veux un amoureux, un vrai, une petite famille, répond Chloé tristement, tout en caressant Wilson derrière les oreilles d'une main distraite.

Niché sur les jambes de Chloé, le chihuahua de Justine est couché sur le dos, les quatre pattes en l'air, et fait de petits bruits en signe de contentement tandis que les deux danois reposent aux pieds de la jeune femme.

— Rien ? Pas de nouveau avec Sébastien ? demande Justine en prenant une gorgée de sambuca.

— Si on veut. Un peu. Il est plus gentil depuis qu'il m'a vue avec l'avocat sur la terrasse, mais on est loin de la demande en mariage ! Je ne connais même pas ses parents !

— Ah! Les hommes! Ils réagissent toujours quand ils sentent une menace, ce n'est pas nouveau! Et cet avocat, il t'a rappelée?

— Oui, il a trouvé mon numéro sur le site du Barreau du Québec. Imagine, tout ce qu'il savait de moi, c'est mon prénom et que je suis avocate. Dans le bottin des avocats, il y a une fonction où on peut rechercher un avocat par son prénom. Il a appelé dans tous les bureaux et il a demandé si l'avocate prénommée Chloé était rousse aux yeux verts. Il m'a repérée comme ça!

— Wow! C'est spécial, ça…

— Oui, mais je dois me méfier d'un gars comme ça. En général, ce sont tous des coureurs de jupons. Ils sont trop habitués d'avoir toutes les filles à leurs pieds.

Justine replie une jambe sous elle et se cale à nouveau dans les coussins moelleux de son fauteuil. Une chanson d'amour de Coldplay joue en sourdine, qui traite justement de la couleur des yeux de Chloé.

Green eyes, honey you are the sea upon which I float, the rock upon which I stand…

Justine s'exclame:

— Comme c'est beau! Tu l'auras, toi aussi, cet homme qui te chantera *Green Eyes*… Elle est faite pour toi, cette chanson!

— Un jour, je l'espère bien…

— Ce ne sera peut-être pas Sébastien ni cet avocat, qui semble avoir une belle recette pour te piétiner le cœur!

— Avec lui, aussi bien me suicider tout de suite!

— Ah! Parfois, il y en a qui se convertissent, fait Justine.

— Oui, mais à soixante-quinze ans, dans leur centre d'accueil, alors qu'il n'y a plus que de jolies petites vieilles autour d'eux! Puis encore là, ils vont en draguer des plus jeunes! Non, je suis patiente, mais pas à ce point!

Comme la main de Chloé se fait moins caressante tout à coup, le petit Wilson agite ses pattes pour que sa distributrice de câlins reprenne du service. Le souhait exprimé, et aussitôt satisfait, les ronrons reprennent de plus belle, au grand contentement des deux parties. Attendrie, Justine les regarde. Ces deux-là, c'est l'amour fou, pense-t-elle. Mais ce n'est pas ce que Chloé recherche…

Puis cette dernière dit :

— J'en veux un, « Trois-C », moi aussi ! Avec Sébastien, ça ne va nulle part, ça fait plusieurs mois qu'on se voit et il n'a pas l'air de vouloir se décider. Ce n'est pas un appel de plus qui va y changer grand-chose. C'est un éternel ado, il n'arrêtera pas de jouer à ses jeux pour moi ! Hier, justement, j'ai essayé de le faire parler, mine de rien, pour savoir un peu où notre relation s'en va, mais toutes ses réponses me disent qu'il ne veut pas plus s'engager qu'avant.

— Oui, il y a des limites à perdre son temps, parfois un petit peu de manipulation ne fait de tort à personne !

— J'aime manipuler les hommes quand ils sont intelligents. Quand ils sont stupides, c'est moins le fun ! Ha, ha, ha !

— Tu ne serais pas devenue un peu trop cynique, toi ?

— Non, je ne crois pas. Je me protège, c'est tout.

— Oui, je sais, je t'agaçais…

— T'as pas idée comme tu es chanceuse d'avoir trouvé le bon. Zib est merveilleux. Moi, je tombe toujours sur la mauvaise personne !

— Tu l'auras, toi aussi, ton « Trois-C », c'est juste qu'il n'y en a pas à tous les coins de rue !

— Ça, je le sais ! Ce qui est curieux, c'est que, même si les hommes que j'ai rencontrés ne veulent pas s'engager, ils aiment penser qu'ils sont importants, que je suis en amour avec eux, ça leur *booste* l'ego !

— *Oh boy!* Triste constat, mais combien vrai. On n'est plus dans la psycho 101, mais 1001!

— Oui, j'ai fait mes propres tests, l'assure Chloé, ils jouent la carte du détachement, mais ils aiment sentir qu'ils plaisent malgré tout, plus que pour la couchette, je veux dire.

— Oui, t'as raison, sinon, ils iraient voir une fille sur la rue Saint-Laurent.

— S'ils ne veulent pas payer un lunch, imagine s'il fallait qu'ils sortent leur portefeuille pour baiser avec elles! Non, ils préfèrent s'essayer, faire croire à la fille qu'ils veulent une relation et l'avoir *gratos*! Ça ne doit pas se donner, une gonzesse sur la rue Saint-Laurent de nos jours! Est-ce qu'on aurait ça, leur tarif, sur Google?

Justine pouffe de rire.

— Hum, pas sûre, réplique-t-elle. Il faudrait essayer...

— Ne perdons pas de temps avec ça, c'est sûrement pas à nous que ça va servir! Oui, les hommes d'aujourd'hui veulent tout: la fille amoureuse pour qui ils ne payent rien, comme s'ils voulaient toujours s'assurer que quelqu'un les aime quelque part! Puis quand on pète notre coche, ils disent: «Ah, mais je t'avais rien promis, il me semble que c'était clair pourtant.»

— Jusqu'à la prochaine! Mais... poursuit Justine, cet homme à la Porsche, il te plairait?

— C'est difficile de répondre à ça. Au physique, oui, quand il me regarde avec ses grands yeux de velours, son sourire engageant, si charmeur, ça me donne juste envie de m'allonger! Si ce n'était pas de Sébastien, j'en aurais bien envie de celui-là, hum... je n'aurais pas dit non à la totale.

— Peut-être que tu devrais laisser Sébastien et tenter ta chance ailleurs, non?

— Oui, j'y pense sérieusement. Cette relation ne mène à rien. Je ne pourrais pas en trouver un bon, pour une fois? Est-ce que je dois aller allumer des lampions ou monter à genoux les marches de l'oratoire Saint-Joseph ?

— Tu l'auras, ton « Trois-C », tu verras…

— Quand, Justine ? Quand ? J'en peux plus de l'attendre !

— Hum ! Mais quel hasard, quand même, cette rencontre avec l'avocat ! remarque Justine.

— Oui, un beau hasard musclé avec de belles fesses, répond Chloé en riant.

Pour ménager son petit cœur, Chloé aimerait bien faire sienne la boutade de Coco Chanel : « Un homme peut porter ce qu'il veut, il reste quand même un accessoire de la femme. »

Et Justine, quant à elle, croit désormais en la phrase fétiche d'Yves Saint Laurent : « Le plus beau vêtement qui puisse habiller une femme, ce sont les bras de l'homme qu'elle aime. Mais, pour celles qui n'ont pas eu la chance de trouver ce bonheur, je suis là. »

6

L'amour, quand tu ne peux
plus t'en passer !

Au volant de sa voiture, Brigitte a bien en tête la question soulevée par ses amies : si elle se faisait prendre, son amant laisserait-il sa femme pour elle ? Elle s'interroge, tandis qu'elle va rejoindre Christian, son banquier rencontré chez IGA, à cause d'un accident de paniers autour d'un pot de moutarde de Dijon. Prétexter un souper avec les copines lui a permis d'aller rencontrer son amoureux dans le motel qui abrite toujours leurs amours illicites.

Inquiète, elle ne peut s'empêcher de regarder constamment dans son rétroviseur afin de vérifier si quelqu'un la suit. Dès qu'elle voit une voiture suspecte, c'est-à-dire qui ressemble à celle de son mari, elle tourne, prend de petites rues afin de s'assurer que la voie est libre. Lire ici : qu'elle n'est pas suivie.

Jusqu'à maintenant, tous ses soupçons se sont révélés injustifiés. Du moins, le croit-elle, Jean ne s'étant certes pas vanté de la faire suivre. Pourtant, il semble bien à Brigitte que son mari est différent depuis peu.

Soupçonneux même, irait-elle jusqu'à dire.

Elle conduit nerveusement, elle a hâte de refermer la porte de la chambre du motel derrière elle pour être à l'abri des regards indiscrets et profiter de ce moment, pour elle si fabuleux, volé à l'ennui mortel de la cage dorée familiale. Au feu de circulation, elle jette un dernier coup d'œil inquiet avant de tourner dans l'entrée du stationnement du motel. Malgré son sentiment de culpabilité à l'égard de Jean, et de ses deux fils, aussi, elle ne peut s'empêcher de courir rejoindre son amant dès qu'elle le peut.

Oh! Gosh! Brigitte, tu t'es fait avoir pas à peu près, te voilà en amour avec lui maintenant et tu ne peux plus t'en passer!

Il est vrai que Christian, avec son petit air de banquier sérieux, imposant, ses lunettes stylées qui encadrent ses yeux bleu acier, ses habits coûteux à la coupe parfaite, donne à Brigitte un *boost* érotique rien qu'à le regarder, l'allume autant qu'une étincelle jetée dans de la poudre.

Elle se gare devant la réception du motel que Christian a désormais adopté comme lieu de rencontre, puisqu'il est beaucoup moins cher que le Reine-Elizabeth, où il avait, on s'en souviendra, attendu bien vainement Brigitte lors de leur premier rendez-vous. De toute manière, ce motel fait très bien l'affaire, puisqu'ils sont si occupés par le désir qui les foudroie à tout coup qu'ils se fichent carrément du décor.

— Chambre 203, lui dit Christian au téléphone.

— Je suis là, répond Brigitte, j'arrive, mon amour!

Toujours aussi nerveuse lorsque vient le temps de sortir de sa voiture, Brigitte coupe le contact, s'extirpe du véhicule, puis s'engouffre dans le motel.

Une chance que ce n'est pas moi qui dois louer la chambre, je mourrais de honte sur la carpette devant l'employée!

Elle se dépêche donc, tout heureuse à l'idée de rencontrer l'homme qu'elle aime, mais aussi l'homme de ses tourments.

À qui elle doit poser sa petite question.

Oh! Gosh! Brigitte, pourquoi as-tu acheté de la moutarde de Dijon ce jour-là? Tu ne savais pas que ça pouvait être dangereux? Stupid you…

Devant le numéro 203, elle frappe vite, tellement elle est impatiente de se retrouver dans les bras de son amant.

— Brigitte! s'exclame Christian aussitôt.

— Tu m'as tellement manqué, murmure Brigitte amoureusement.

— Toi aussi, tu m'as manqué!

Puis, sans attendre, et avec sa fougue habituelle, il dégrafe le soutien-gorge de Brigitte, cherche habilement la fermeture éclair qui lui permettra de lui retirer sa jupe. En un rien de temps, elle se tient nue devant Christian. De son côté, Brigitte le déshabille à son tour, ne peut s'empêcher d'embrasser son corps au fur et à mesure qu'elle découvre un brin de peau.

— Tu me fais craquer, j'ai tellement envie de toi! parvient à dire Christian entre deux baisers. Viens! Étends-toi sur le lit, je veux te prendre là, pour la première fois du moins, ajoute-t-il, l'air canaille.

Brigitte s'allonge alors que Christian la regarde quelques secondes afin de profiter un peu de la vue de ce corps qu'il adore et qui lui est offert sur un plateau d'argent, ou sur un lit, c'est selon. Ces minutes semblent bien longues à Brigitte, qui brûle de l'accueillir en elle une autre fois, pour qu'il lui appartienne un peu malgré tout.

Peut-être…

Christian aime tout chez elle. Ses seins tout neufs – même s'ils ne sont pas naturels –, le font frémir, ses lèvres charnues, ses yeux noisette aux reflets dorés et chatoyants, la couleur de ses cheveux désormais plus foncée, qu'elle a adoptée pour lui plaire.

Et bien sûr, son corps si mince.

Il n'est pas homme à préliminaires, aussi s'empresse-t-il de la prendre là, sans attendre. Brigitte ne se formalise pas de ce manquement, cet oubli qui pourtant fait l'objet de tant de récriminations de la part des femmes, trop désireuse de sentir enfin Christian, tout au chaud, bien enfoui en elle.

Après l'amour, Brigitte colle sa tête amoureusement sur l'épaule de son amant et tente une percée qui amènera la conversation vers la question qu'elle veut lui poser et dont ses copines lui ont soufflé les termes. Elle commence doucement pour le conduire là où elle veut en arriver:

— Comment ça se passe chez toi?

Christian, qui ne voit pas nécessairement de vases communicants entre ses deux femmes, ses deux vies en parallèle, en somme, déteste ces conversations. Comme la plupart des hommes.

— Bien… que veux-tu dire?

— Est-ce que ta femme a des soupçons?

— Les femmes ont toujours des soupçons de toute façon! répond Christian, pensant faire ainsi une subtile fuite en avant et, du même coup, esquiver la question.

Mais Brigitte, tenace, ne se laisse pas désarmer pour autant et ne lui permet pas de s'échapper de cette discussion qui lui semble nécessaire.

Du moins, depuis que ses amies lui ont parlé.

— Tu arrives à faire comme si rien ne s'était passé? reprend-elle.

— C'est difficile, c'est certain, répond Christian.

Brigitte tend l'oreille, en attente d'une suite qui ne vient pas.

— C'est tout?

— Bien… oui. Et toi? fait-il pour se défiler.

— T'as pensé à t'inscrire à un cours de conversation? demande-t-elle. Le groupe Dale Carnegie offre une formation ce mois-ci!

Brigitte se détache de Christian, s'appuie la joue sur sa main, alors que les pensées de son amant sont ailleurs.

— Tu as de beaux seins, dit Christian.

Incrédule, Brigitte s'assoit sur le bord du lit, pose ses pieds sur le sol, fait la moue. Comme elle aimerait échanger avec lui comme elle le fait avec ses amies! Mais il répond toujours à ce genre de questions avec un minimum de mots, qui n'incitent pas à continuer la discussion. Avec des réponses comme celles-là, elle sait bien qu'il est vain d'essayer de lui demander s'il quitterait sa femme pour elle.

— Moi, je trouve ça très difficile, j'ai envie de tout avouer à mon mari, lâche-t-elle, la tête baissée, histoire de le provoquer un peu.

— Ne fais pas ça! s'empresse de dire Christian.

Brigitte tourne la tête vers lui, le regarde en silence, l'espace de quelques secondes, qui semblent des minutes à Christian.

— Est-ce que tu m'aimes? demande-t-elle.

— Bien sûr que je t'aime, ma chérie, la rassure-t-il aussitôt, en s'assoyant dans le lit derrière elle pour l'enlacer. Hé! Pourquoi crois-tu que je suis ici, sinon, hein?

Il la saisit par la taille, puis il l'embrasse dans le cou tout en la cajolant. Brigitte est songeuse. La réponse obtenue est loin de la satisfaire. Elle voudrait entendre qu'il l'aime à la folie, est prêt à tout laisser pour elle.

— Allons, murmure Christian, ne fais pas cette tête! Mais qu'as-tu? Tu sais bien que je t'aime, voyons… Je te l'ai déjà dit mille fois…

— Non, au contraire, tu me le dis rarement.

— Mais assez de fois pour que tu le saches, non?

— Alors, répète-le-moi, susurre Brigitte.

Et comme si Christian avait entendu le désir secret de Brigitte, il dit, en la renversant sur le lit pour la prendre à nouveau:

— Je t'aime comme un fou!

7

Le toy boy

Après une journée harassante au bureau, prise entre Natasha-la-vautour et Suzie-la-chipie, Sarah se rend chez sa mère pour y chercher ses petites. L'école a commencé, mais il arrive qu'Annie aille les prendre au service de garde lorsque Sarah prévoit finir plus tard qu'à son habitude. La grand-mère s'acquitte de sa tâche avec grand plaisir même si elle est très occupée avec Jocelyn, son *toy boy* au ventre sculpté comme une Caramilk. Par ailleurs, Annie est si épanouie que Sarah a cessé de s'inquiéter pour elle.

Décidément, le *toy boy* lui fait le plus grand bien !

— Ah ! Sarah ! s'exclame Annie. Entre ! Nous sommes au salon en train de jouer au Game Boy.

— Une chance que tu ne joues pas au *toy boy*, maman ! ne peut s'empêcher de répliquer sa fille en rigolant.

— Très drôle ! rétorque Annie.

Sarah sourit. Annie la surprendra toujours. Les petites disent un bonjour distrait à leur mère, en ne laissant pas leur jeu pour autant, tandis qu'Annie reprend sa place à côté de Léa. Sarah remarque que sa mère semble troublée.

— Ça va, maman ? s'enquiert-elle.

— Oui, oui, ça va, répond-elle, d'une voix qui ne convaincrait personne.

— Tu veux en parler ? demande Sarah, en regardant vers ses petites, qui roulent des yeux, croyant qu'elles vont encore être mises de côté.

— Non, pas besoin de vous en aller, mes chéries, dit Annie.

— Hum… c'est Jocelyn, hein ? continue Sarah.

— On en parlera une autre fois, veux-tu ?

Ça, ça veut dire que c'est Jocelyn…

— Si tu préfères, mais je suis là, quand t'auras envie d'en parler. On est amies, non ?

— Oui, amies, mais ce n'est pas le moment.

— Appelle-moi ce soir alors…

— Non, ce soir, j'ai autre chose, répond Annie, sans en dire plus.

Sarah note une hésitation dans la voix de sa mère. De toute évidence, elle ne veut pas discuter de sa vie amoureuse.

Décidément, il n'y a rien à en tirer. Je la connais, lorsqu'elle prend cet air, il y a quelque chose qui ne va pas. Je le savais que ça allait arriver, ça ne pouvait pas durer, cette histoire de fous !

— Allez, les filles ! dit-elle. On retourne à la maison !

— Mais, maman, on est en train de jouer…

— Allez ! Il est tard, il faut partir maintenant, il reste vos devoirs à faire.

La lippe boudeuse, les jumelles laissent leur jeu et vont enfiler leur manteau.

— Et toi, s'informe Annie, pendant que les petites se préparent, ça va ? Ta patronne n'a pas été trop chiante avec toi aujourd'hui ?

— C'est une maladie incurable chez elle ! Elle n'est vraiment pas reposante ! Il faut toujours que je fasse attention à tout ce que je dis, tout ce que je fais, on dirait qu'elle est toujours derrière moi, et ça, c'est sans parler d'une collègue qui m'en veut parce que c'est moi qui ai été nommée recrue de l'année. Déjà qu'un retour au travail n'est pas facile, disons que je n'avais pas besoin de ça, laisse tomber Sarah dans un souffle.

— Tu devrais te trouver autre chose, au lieu d'être prise entre deux harpies comme ça, dont l'une est l'ex du président, qui te donne de beaux cadeaux, t'envoie des bâtons de golf, comment tu appelles ça encore ? Bing ?

— Non, Ping, maman. Pense à ping-pong.

— Bon, peu importe, fait Annie, c'est pas mal compliqué, ton affaire, puis toute cette tension n'est pas bonne pour la santé. Tu sais, continue-t-elle, mon amie Guylaine, elle a vécu du stress toute sa vie parce qu'elle était certaine…

— Maman…

— Non, laisse-moi finir, oui, elle était certaine que son mari la trompait avec une autre femme, alors qu'il allait en fait jouer aux cartes avec ses amis en cachette parce qu'elle n'aimait pas ça. Elle a perdu sa vie à le soupçonner d'infidélité pour rien et elle est morte d'un cancer de l'estomac. C'est pas bon, tout ça…

— Je n'ai pas le choix, dit Sarah. Ce n'est pas évident d'être embauchée dans une boîte quand tu n'as pas d'expérience. Une fois que je l'aurai acquise, là, je pourrai postuler ailleurs. Ne t'en fais pas pour moi, maman…

— Mais je ne m'en fais pas du tout ! réplique Annie aussitôt.

Bon, j'oubliais encore, elle ne s'en fait pas parce qu'elle sait que je suis forte ! Respire par le nez, Sarah, ça vaut mieux…

— Tu es si forte, Sarah… Mais ne comprends-tu pas mon message ?

— Quel message ? Qu'est-ce que j'ai à voir avec ton amie Guylaine, dis-moi ?

— C'est simple à comprendre, il me semble.

Tellement simple que je ne vois vraiment pas…

— Pardonne-lui, fait Annie. Tu l'aimes, cet homme, c'est écrit dans ta face, et ça, tu ne peux pas le nier, une mère voit ces affaires-là, les sent. Tu perds ta vie à ne pas lui pardonner, comme Guylaine a perdu la sienne à le soupçonner…

— Mais, maman… C'est pas le temps de parler de ça, les petites sont juste à côté.

D'ailleurs, Léa et Camille sont de retour, le manteau sur le dos et leur sac à dos rose en forme de tortue sur leurs menues épaules.

— Bon, tu vois, c'est jamais le temps avec toi non plus de parler, alors ne me le reproche pas. On est *top synchro,* on dirait !

— Façon de voir les choses, répond Sarah.

Camille s'impatiente et demande si elles peuvent y aller. Sarah répond que oui, qu'elles partiront dans une minute. En refermant la porte, elle dit à sa mère :

— Je comprends que tu n'aies pas trop envie de parler de ce sujet avec moi, mais appelle-moi ce soir, si tu veux, je ne te reprocherai rien, promis…

Alors que Sarah est sur le perron, elle aperçoit Jocelyn qui se dirige chez sa mère, l'air soucieux, lui aussi.

Bon, j'avais bien deviné, ça ne va pas trop fort ! Il se prépare une face d'enterrement, mais au fond, il doit être tout content d'en avoir trouvé une de son âge… ou de mon âge !

Arrivée à sa hauteur sur l'étroit sentier qui mène chez sa mère, elle s'apprête à le saluer, mais il continue son chemin, tête baissée. Visiblement, il ne veut pas lui parler. Elle lui lance quand même :

— Fais attention à ma mère, hein, c'est tout ce que je te demande.

Le *toy boy* ne réagit pas plus à cette mise en garde et continue sans se retourner.

Décidément, c'est compliqué, l'amour! Merde! Et à tout âge! Là, c'est ma mère qui aura le cœur en miettes, et c'est moi qui devrai la remonter, comme je l'avais prédit. Disons que je n'avais pas besoin de ça en plus...

Dans la voiture, Sarah demande aux fillettes de boucler leur ceinture, mais elle pense à sa mère. Une crainte la taraude. Et si cette rupture amenait sa mère à faire une dépression? Elle se promet de la rappeler plus tard.

8

Ville lumière, ou pas ?

— Je suis désolé, la dernière chose que je veux, c'est te causer du chagrin, dit Zib, en tirant sur la laisse de Castor, pour faire marcher le grand danois au pas alors qu'il s'agite à la vue d'un écureuil grassouillet.

— Je n'osais pas t'en parler de peur de réveiller tout ça, répond Justine, qui tient d'un côté la laisse du petit Wilson et de l'autre, celle de Pollux. Au fond de moi, j'espérais que tu avais abandonné l'idée, poursuit-elle tristement.

Zib profite d'une promenade au bord du canal Lachine pour revenir sur cette conversation qui a créé leur première dispute.

— Chérie, si je n'y vais pas, j'ai l'impression que je vais toujours le regretter. J'ai peur de passer à côté de quelque chose d'essentiel. Viens avec moi, Luc pourrait garder la galerie un temps. On l'essaie, et si ça ne marche pas, on revient, c'est tout !

— Ma galerie me tient trop à cœur, Zib, tu le sais, c'est moi qui l'ai sauvée. Et toi, pour vivre une nouvelle expérience, tu me demandes de tout laisser ça en plan. Réalises-tu le sacrifice que ça représente ?

— Oui, c'est certain, mais j'y vois plein d'opportunités aussi pour toi. On pourrait rester chez Zoé, tu t'entends bien avec ma sœur.

— Là n'est pas la question, Zib, je m'entends bien avec elle, mais ça ne veut pas dire que je veux habiter là-bas.

— Et si on essayait un mois, juste pour se faire une idée, après on décidera, ta galerie peut bien attendre un tout petit mois, non ?

— Hum, c'est que j'ai pris tellement de journées de congé pour préparer notre mariage, en plus de notre voyage de noces… Je ne peux pas trop en demander à Luc non plus, on est débordés à nous deux, et puis, on ne peut pas laisser tout seul l'étudiant qu'on engage les week-ends, il n'en connaît pas assez.

— Peut-être même que Luc voudrait acheter ta galerie, on ne sait jamais…

— Mais je ne veux pas vendre, Zib…

— Justine… je ne veux pas y aller si tu es complètement fermée à l'idée. Dans un couple, on doit être deux à se réaliser, non ?

— Oui, ça, c'est vrai, reconnaît Justine. Mais si on va à Paris, c'est moi qui laisserai tout tomber.

— Sophie t'ouvrira aussi son salon, tu y feras plein de rencontres enrichissantes, tu connaîtras plein d'artistes, tu l'adoreras, tu verras ! Tu ne connais pas le milieu là-bas, bien… je veux dire… tu connais des artistes, mais pas autant qu'elle, elle est née à Paris, c'est une aristocrate, elle connaît tous les gens importants, elle pourra nous présenter tout le monde.

— Oui, ça semble très intéressant tout ça, je l'admets, mais si tu n'aimes pas ça et que, moi, j'ai tout vendu ?

Justine s'assoit sur le banc de parc, ramasse le petit Wilson pour le mettre sur ses genoux, mais fait coucher Pollux à ses pieds, bientôt imité par Castor. Elle mord ses belles lèvres pour ne pas pleurer, ses yeux se voilent, elle retient les larmes qui menacent de s'échapper.

Zib s'assoit près d'elle, prend son visage dans sa main, la force à le regarder droit dans les yeux, repousse une mèche de cheveux et dit :

— Chérie, crois-tu que j'ai tout oublié, notre mariage, nos vœux ? Je t'aime vraiment, tu sais. Paris, c'est uniquement pour le travail, c'est une chance que j'ai dans ma vie, là, maintenant, peut-être que ça ne se reproduira jamais. Regarde, je peux y aller un mois, ensuite, tu viendras me rejoindre une semaine, tu peux prendre congé, non ? Et après, ce sera moi qui viendrai, c'est une situation temporaire, je sais que ce n'est pas drôle pour nous deux.

De grosses larmes coulent maintenant sur les joues de Justine qu'elle ne retient plus et essuie du revers de sa main.

— Tu vas tellement me manquer, fait-elle, la gorge nouée. Je ne sais pas si je saurai vivre sans toi. Je t'aime et je veux vivre avec toi au jour le jour.

Elle qui croit tant à son talent, comment peut-elle s'opposer à ce qu'il profite d'une telle chance ? Paris, c'est loin, mais il y a plus loin aussi. Un saut dans un avion le soir et, le lendemain matin, on y est. Zib la regarde, triste lui aussi, puis il dit :

— Ah ! Oublie tout ça, ma chérie ! Je déteste te voir ainsi, je resterai ici, n'en parlons plus !

— Oui, mais cette Sophie ne sera pas toujours là…

— Non, mais ce n'est pas grave, je gagne bien ma vie quand même. Arrête de t'en faire avec ça et souris-moi ! Viens, rentrons à la maison ! Je t'ai fait assez de peine comme ça.

Zib prend le petit Wilson sur les genoux de sa maîtresse, le dépose par terre, puis il tire sur les laisses pour faire lever les grands danois. De sa main libre, il prend Justine par les épaules et la serre tout contre lui.

— Allons, ne sois pas triste, ajoute-t-il, rentrons, je suis un vieil égoïste stupide.

— T'as raison ! dit Justine en se mouchant, riant et pleurant tout à la fois.

Zib la serre encore plus fort dans ses bras et dit :

— Je t'aime, tu sais…

— Moi aussi, je t'aime, répond Justine.

9

Le caniche royal,
un métrosexuel ? Oh boy !

Le quatuor est de nouveau réuni, mais cette fois-ci, dans le nouveau condo de Justine et Zib, qui est beaucoup plus spacieux que le précédent. Les murs sont recouverts de magnifiques tableaux, des sculptures trônent ici et là, dont une femme de Loth, que Justine a de nouveau achetée, pour lui rappeler que c'est grâce à elle qu'elle est toujours allée de l'avant et qu'elle a enfin trouvé le bonheur avec Zib.

— Est-ce que ton bel avocat à la Porsche t'a appelée ? demande Brigitte à Chloé.

— Oui, il m'a invitée à souper.

— Et qu'as-tu dit ? demande Sarah.

— J'ai refusé.

— Pourquoi ? Un souper n'engage à rien, fait Justine.

— Sébastien est quand même encore dans ma vie, et il est vraiment plus gentil. Hier, justement, il m'a proposé qu'on passe le week-end prochain à Tremblant. Il ne m'a jamais offert ça avant.

— Il sent la soupe chaude, celui-là! lance Brigitte. Attention, ma belle, tu vas avoir les deux sur le dos maintenant!

— Ce que je veux, c'est un homme loyal, fidèle, qui m'écoute, me protège, dit Chloé.

— Mais prends un chien! s'exclame Brigitte à la rigolade.

— Un chien? répète Chloé. Tu es drôle, toi!

— Oui, je trouve qu'ils ont toutes les qualités que les hommes n'ont pas. Bien sûr, il y a toujours des exceptions qui confirment la règle.

Les filles s'esclaffent.

— C'est vrai que les chiens sont fidèles, renchérit Justine, nous aiment de façon inconditionnelle, nous donnent toute l'attention dont on a besoin, puis en plus, on ne se demande jamais où ils sont puisqu'ils ne sortent jamais sans nous! Mais moi, j'ai trouvé mon chic-chèque-choc, à vie! Et des chiens, j'en ai déjà! Je suis comblée!

— Oui, tu es vraiment chanceuse! Moi, je n'ai ni l'un ni l'autre. De toute façon, pour le chien, je fais de trop longues heures, il s'ennuierait, dit Chloé, en caressant le petit Wilson, qui, dès qu'il l'aperçoit, s'empresse d'aller la trouver pour se faire cajoler.

Justine étire ses jambes, les pose sur le pouf devant le canapé du salon, et revient à la charge concernant l'achat d'un animal. Elle pense que le projet ne manque pas de sens, disons, pas totalement, et elle propose quelques pistes de solution à son amie.

Chloé fait une moue dubitative et, reprenant l'argument de ses longues heures de travail, elle conclut:

— Ce ne serait pas trop gentil pour lui.

— Tu pourrais engager quelqu'un qui viendrait le promener le jour, comme moi, je le fais, déclare Justine. Peut-être même que mon promeneur irait aussi chez toi!

Une lueur d'espoir germe dans la tête de Chloé, qui n'avait jamais entrevu la possibilité de posséder un chien. Plus ça va, plus l'idée d'avoir son petit animal bien à elle l'enchante.

— Viens ! On va aller voir sur Internet la race de chien qui te plairait.

Chloé prend le petit Wilson dans ses bras et emboîte le pas à Justine, suivie des autres, qui se dirige vers la cuisine pour prendre son iPad, resté sur le comptoir.

— Dans le cas d'un homme, on le veut grand et bien bâti, mais pour un chien, ce n'est pas pareil. Tu en voudrais un petit ou un gros ? demande Justine en riant.

— Petit, genre trois kilos, répond Chloé sérieusement, car il y va de son futur chien après tout !

— Bon, on en élimine beaucoup. T'as une idée en tête ?

— Un chihuahua comme Wilson me plairait bien, un bichon, ou encore, un yorkshire.

Sur Internet, Justine trouve un site sur les chiens. Chloé s'extasie sur tous tandis que les autres émettent à qui mieux mieux leurs commentaires sur chacun. Chloé se demande bien comment choisir entre toutes ces irrésistibles binettes.

— Tu vas voir, dit Justine, quand on est sur place, il se passe quelque chose en nous, on dirait que, à un moment donné, on ne sait pas trop pourquoi, mais on a la conviction que c'est celui-là qu'on aime et qu'on veut. Et parfois, tu verras, c'est même lui qui te fera signe !

Chloé penche légèrement la tête, songeuse, alors que Wilson, les yeux rivés à l'écran, incline aussi son adorable tête, comme pour signifier : « Hé ! J'ai mon mot à dire, c'est de mon amie qu'il est question ! » Enfin, amiE, espère-t-il (et avec certains bénéfices, cela va de soi).

Justine, qui les regarde tous les deux, pouffe de rire. Chloé et Wilson se tournent vers elle, se demandant ce qui la fait tant rigoler.

— Regarde celui-ci, un petit yorkshire, dit Chloé, attendrie. Peut-être que je pourrais l'emmener au bureau aussi à l'occasion. Il y a des journées où je ne fais que de la recherche. Je pourrais lui acheter un petit panier que je laisserais à côté de moi.

— Un yorkshire, c'est si mignon! s'exclame Justine en tapant des mains.

— Oui, mais le problème avec toi, c'est que tu les trouves tous mignons, dit Sarah, même les plus laids!

« Wouf! » fait Wilson en agitant la queue, tout heureux, attirant l'attention de Castor et Pollux, qui lèvent bientôt la tête pour savoir ce qui se passe.

Devant l'écran, Chloé se pâme de nouveau:

— Regardez ce caniche royal! C'est beau, hein?

— On n'est pas dans la même catégorie, on passe aux gros toutous, là. Le caniche royal, c'est plutôt un genre métrosexuel, déclare Justine. Et c'est comme un homme, ça coûte très cher de « poupounage »!

Les filles éclatent de rire.

— Et le berger allemand? demande Chloé.

— Hum… fait Brigitte, le *bad guy,* tu ne pourras jamais te fier à lui.

— Et le beagle, regardez les filles, dit Chloé, il a l'air si doux, ce chien!

— Non, non, non, il ne faut pas te fier aux apparences, dit Sarah, le beagle, c'est le chasseur! Dès que t'auras le dos tourné, il va aller courailler!

— Oh! Regardez ce lévrier, s'exclame Justine. De la grande classe, hein?

— Oh! La grande classe, mais pas trop snob? demande Sarah en s'esclaffant.

— Ah! Mon homme à la Porsche, c'est un lévrier alors, il a un petit côté snobinard…

— Et ton Sébastien est un chiot de trois mois qui veut toujours s'amuser! fait Brigitte.

— Ha, ha, ha! font les filles en chœur.

10

Qu'il fait bon être désirée !

Promue dans ses nouvelles fonctions de spécialiste en publicité internet, Sarah ne manque pas pour autant de s'occuper de sa campagne de financement pour l'Hôpital Sainte-Justine, malgré tout le travail que cela impose.

Malgré les termes de l'accord avec Elliot qui ont changé.

Malgré le fait qu'elle n'ait plus voulu le revoir en dehors du bureau.

Malgré le fait que le projet de l'hôpital soit né lors d'un jeu, cette nuit folle où ils ont fait l'amour.

L'objectif de cent mille dollars étant atteint, Sarah travaille maintenant à le doubler. Elle regarde sa montre :

Deux heures déjà ! Zut ! Je dois y aller ! Il faut que je garde mon sang-froid et que je fasse comme si de rien n'était. Il ne doit pas voir qu'il me fait encore de l'effet, celui-là ! Je ne peux me permettre de perdre mon emploi !

Sarah se lève, sort de son bureau en vitesse et arrive face à face avec non seulement Suzie-la-chipie, mais aussi son café! Sous le coup, la boisson chaude éclabousse la robe de Sarah, bien que Suzie-la-chipie s'en sorte indemne.

— Excuse-moi, minaude cette dernière, qui prend sa serviette de table rouge pour essuyer la robe beige de Sarah, en se disant bien hypocritement «un-zéro pour moi!»

N'étant pas dupe de sa fausse gentillesse, Sarah repousse sa main aussitôt. Sa collègue lui en veut encore plus depuis que la nouvelle venue a obtenu le poste tandis qu'elle a hérité de la réception.

Merde! Je n'ai pas le temps d'aller me changer, et je rencontre en plus un client après mon meeting avec Elliot. Ce n'était vraiment pas le moment!

— Mais… que vous est-il arrivé? s'enquiert Elliot dès qu'il aperçoit la robe de Sarah aux teintes variées de café.

— Ah, vous n'aimez pas? demande-t-elle. C'est la nouvelle mode, comme les tests de Rorschach!

— Un test de quoi? fait Elliot.

— Rorschach, ce sont des taches qu'on montre aux patients! On s'en sert pour faire l'évaluation psychiatrique des gens.

Elliot regarde la robe de Sarah, sceptique.

— Par exemple, que voyez-vous là? l'interroge-t-elle, en désignant une tache.

— Hum! Ça me semble être deux rats en train de dévorer une souris.

Sarah hausse les épaules, regarde vers le plafond et décrète:

— Un conseil! Vous devriez consulter un psy au plus vite!

Elliot pouffe de son grand rire si caractéristique.

— Ha, ha, ha!

— Bon, au travail, les consultations psychiatriques ne sont pas gratuites! s'exclame Sarah.

C'est depuis peu que Sarah s'est remise à badiner avec Elliot, malgré tous les efforts qu'il a faits pour se racheter.

Munie de son iPad, elle lui donne un rapport détaillé sur l'avancement de sa campagne. Elliot est visiblement impressionné. Sarah, qui en oublie sa robe toute tachée, discute de nouveaux prospects, de nouveaux clients, se lève, se rassoit, argumente, elle est absorbée par sa présentation lorsqu'elle se rend compte qu'Elliot est bien calé dans son fauteuil de président et qu'il la regarde intensément.

Comme la fois où il était venu souper chez elle.

Un doux vertige s'empare d'elle, puis elle se met à bafouiller :

— Deux cents dollars, c'est faisable, d'ici… euh… bien… s'enlise Sarah. Deux jours… euh… deux…

— Oui ? fait Elliot, amusé par la tournure des événements. Deux cents dollars, c'est peu, non ? la taquine-t-il.

— Euh… Deux cent mille dollars, je veux dire, pardonnez-moi, bredouille Sarah, qui vouvoie toujours Elliot au travail.

De toute façon, elle n'a jamais revu Elliot autrement depuis la nuit où ils ont fait l'amour.

— Vous savez, déclare Elliot, que j'aurais fait un excellent écrivain ?

— « Vous auriez », Dieu merci, vous ne prétendez pas être Molière tout à coup !

Qu'est-ce qu'il va me sortir encore, celui-là !

— Non, plutôt Dostoïevski.

— Hum ! Je n'étais pas loin, rien de moins qu'un des grands génies de la littérature, quoi ! Toujours aussi modeste, à ce que je vois !

— C'est *L'Idiot* que j'aurais pu écrire…

— Je pense que vous auriez pu aussi écrire *Le Joueur*, il ne faut pas oublier ce roman qui a été un de ses plus grands succès, non ?

— Alors là, touché, fait Elliot. N'empêche que votre M. Ror-machin-truc réglerait bien vite ce problème et pourrait vous dire mes pensées secrètes…

Malgré ses efforts pour se détacher d'Elliot, Sarah ne peut réprimer le désir qui l'obsède dès qu'elle baisse la garde.

Ah! C'est si bon de se sentir désirée. Et par lui, hum... Comme on était bien ensemble, ce soir-là...

Et l'homme étant homme, au lieu d'être refroidi par la distance que Sarah a mise entre eux, Elliot est séduit par ses réponses, son humour, qui ne font qu'attiser son désir davantage. Si c'est possible.

Mais surtout, le fait d'avoir goûté à l'amour avec Sarah l'a rendu encore plus amoureux. Il ne veut pas qu'elle perde son emploi à cause de lui, mais en même temps, il ne peut résister à l'attrait qu'elle a toujours exercé sur lui, et ce, dès leur première rencontre. C'est comme un grand mouvement qu'il ne peut freiner.

Sarah se sent sur un terrain glissant et revient sur le sujet de leur réunion. Et juste à temps d'ailleurs...

— Tout est réservé, dit-elle. On va installer nos tentes dans les écuries du circuit Gilles-Villeneuve. Ce sera un quarante-huit heures de course à relais en vélo, on va organiser des tours pour se relayer. Il faut que chaque compagnie ait toujours quelqu'un sur la piste, jour et nuit, en plus, j'ai des commanditaires pour la bouffe. Espérons juste qu'il ne fera pas trop froid.

Époustouflé devant l'envergure que prend son projet, Elliot en oublie la règle qu'il a lui-même édictée quant à la vouvoyer sur le lieu de travail. Il dit:

— Je savais que je pouvais me fier à toi...

— Tu la tutoies tout à coup? dit Natasha-la-vautour en entrant dans le bureau et en les dévisageant l'un et l'autre de ses grands yeux suspicieux.

11

La question qui tue…

Fraîchement coiffée, Brigitte entre en coup de vent dans son condo. Elle est seule, les enfants sont partis au soccer et Jean les a accompagnés. Arrivée dans son *walk-in*, elle tâtonne derrière des boîtes empilées, où elle a l'habitude de mettre les dessous qu'elle garde exclusivement pour Christian, et y déniche son dernier achat.

Ceux-là, il va les remarquer !

Elle met la culotte brésilienne si sexy, enfile des bas qu'elle fixe sur ses jarretelles, puis met le soutien-gorge rose légèrement transparent qui laisse voir ses mamelons à travers le délicat voilage. Elle se regarde dans le miroir, se trouve très aguichante.

Il ne résistera pas à ça.

Enfin, elle prend une bouteille de parfum sur sa commode, la passe sous son nez, change d'idée et en saisit une autre.

Oui, Boucheron. Christian adore ce parfum.

* * *

Pour souligner l'anniversaire du quatrième mois de leur rencontre, Christian, voulant célébrer en grand, a acheté du champagne Henriot Blanc de Blancs, et a loué une chambre dans un bel hôtel. Il chantonne maintenant des bribes de la chanson *We are the champions*, tout en se pavanant comme un paon en attendant Brigitte.

Il se sent d'attaque, prêt pour la grande virée, quoi !

Comme à son habitude, dès qu'il pénètre dans la pièce, il ouvre soigneusement les draps pour ne pas avoir à le faire dans son empressement, car aussitôt qu'il voit Brigitte, une violente envie d'elle s'empare de lui. Il se dirige vers le petit buffet, sort des coupes. Pour mieux célébrer encore, il a loué une chambre équipée d'une baignoire à remous. Il commence à faire couler l'eau, ajuste la température en fonction du temps d'attente : une heure pour la première baise, estime-t-il.

Brigitte le rejoint bientôt. Malgré ses longs préparatifs, elle est moins joyeuse que Christian, car sa petite question lui brûle encore les lèvres. Elle n'a pas envie de gâcher cette fête avec une mise au point qui risque de déplaire à son amant. Avec tout le mal qu'il s'est donné, ce moment n'est pas le bon, et elle le sait.

Un homme qui donne veut de la reconnaissance, il n'a pas envie de se faire entraîner dans une discussion.

D'ailleurs, qu'il donne ou pas, il n'en a jamais envie de toute façon !

Mais voilà, elle ne peut continuer cette relation ainsi, ne se sentant bien ni d'un côté ni de l'autre. Lui est tout à son désir et ne voit même pas les hésitations de sa maîtresse, ignorant tout des questions qui se pressent dans son esprit, trop absorbé par l'idée de se trouver enfin en elle. Il dit :

— Comme j'ai envie de toi ! Tu me rends fou, Brigitte !

Et sans lui laisser le temps de répondre, il défait ses beaux cheveux, que le coiffeur avait mis un soin infini à placer sous les directives de Brigitte. Elle voulait que Christian la trouve jolie, irrésistible, en somme, et qu'il ait envie de lui faire l'amour passionnément.

Ce qu'il fait à tout coup.

Mais elle n'aurait pas à investir autant d'efforts et d'énergie, car Christian la désire, point. Avec ou sans artifices.

Il retire sa robe prestement et s'empresse de lui enlever, sans même les regarder, les sous-vêtements qui lui ont coûté la peau des fesses. Déçue, elle se dit que ça lui fera faire des économies la prochaine fois. Brigitte oublie sa question l'espace d'un instant, juste ce qu'il faut au désir pour la prendre dans ses filets. Christian la parcourt tout entière de ses lèvres gourmandes, s'attarde sur ses seins, caresse son ventre d'une main, elle ne peut plus résister. Ni n'en a envie.

Oh! Gosh! It's so good! Silly question… une autre fois… Si ce doit être la dernière fois, autant en profiter!

Elle se laisse donc aller, profitant pleinement de ce délicieux moment.

Une heure plus tard, alors qu'ils ont fait le tour de leur corps de bien des façons, Brigitte pose sa tête au creux de l'épaule de Christian, se blottit dans ses bras.

Des bras qui, fidèles à leur habitude, ne se referment pas sur elle.

— Tu es un as de la baise, toi, murmure Brigitte, encore tout engourdie, comme si elle était sous le coup du ravissement, telle une Lol V. Stein des temps modernes.

— Tout ce que je veux, c'est te satisfaire, répond Christian. Tu m'inspires, ce n'est pas comme ça avec ma femme, crois-moi. On est en symbiose, toi et moi…

— Moi non plus, ce n'est pas comme ça avec mon mari. Il faut dire que ça ne se compare pas, on n'a pas le quotidien ensemble…

— Même avec le quotidien, tu m'inspirerais, Bridge.

Comme ils en sont au quotidien justement, la question qui tue s'échappe enfin des lèvres de Brigitte.

— Et… si je me trouvais célibataire tout à coup, laisserais-tu ta femme pour moi?

— Hummmm… t'en as, des questions, aujourd'hui, toi! Ne peut-on pas parler de ça une autre fois? J'ai ma journée dans le corps, vraiment, des grosses transactions importantes, le dollar qui baisse, l'économie qui va mal…

L'économie! Je suis dans le lit avec mon amant, et il trouve le moyen de me parler d'économie! Shit!

— Mais je dois savoir, Christian. On ne peut plus continuer ainsi, je me sens trop coupable à l'égard de mon mari. Ce n'est pas comme si on avait fait l'amour une fois, c'est une relation qu'on a, qui s'installe en plus.

— Pourquoi gâcher ce moment? On est si bien, s'impatiente Christian.

— *Tu* es si bien, rectifie Brigitte.

Sur ces paroles, Christian se lève, la mine renfrognée, s'étire, ramasse les coupes de champagne, les dépose au bord de la baignoire et va aux toilettes. Au retour, plutôt que de la rejoindre au lit, il s'immerge dans l'eau, pousse un long soupir et dit:

— Viens! C'est si bon, ça va te détendre.

Me détendre…

Brigitte est déçue de la conversation. Ce n'est pas ce qu'elle avait imaginé, il va sans dire. En fait, les paroles de Christian la blessent. Néanmoins, elle se glisse hors du lit et, sur le bout des pieds, va rejoindre Christian dans le bain. Cependant, elle ne se sent pas d'humeur joyeuse et légère, comme lors des rendez-vous précédents.

— Bon, fait Christian, en remplissant leurs coupes de champagne, qu'est-ce qu'il y a?

— Bien là, si tu me parles sur ce ton, ça ne donne vraiment pas envie de répondre!

— Mais quel ton?

— Sur ce ton, on dirait que je t'agresse, que je te fatigue même…

Bon, Brigitte, fais-toi à l'idée, c'est une maîtresse, qu'il voulait, that's it, that's all!

— Bien non, voyons, la rassure Christian maladroitement, c'est juste que j'avais envie qu'on soit ensemble, qu'on s'amuse comme d'habitude! Quand je suis avec toi, ajoute-t-il, j'ai envie de m'évader de mes problèmes, du travail, des enfants.

C'est bien ça, une maîtresse! You are so stupid, Brigitte! Qu'est-ce que tu croyais?

— Mais notre relation, rétorque-t-elle, c'est comme une bombe à retardement, *you know that.* On peut se faire prendre n'importe quand, et moi, je veux savoir à quoi m'en tenir. Est-ce que je suis JUSTE une maîtresse pour toi?

— Bien sûr que non, voyons, tu sais que je t'aime, Bridge…

Pour reprendre un peu ses esprits et gagner du temps, Brigitte déballe la savonnette.

— Mais jusqu'où? Je veux savoir, insiste-t-elle, en faisant mousser le savon dans ses mains.

— Viens ici, dit Christian en la faisant pivoter afin qu'elle vienne appuyer son dos entre ses jambes, contre son torse velu.

Christian prend la savonnette des mains de Brigitte et la passe contre son dos, ses épaules, ses bras.

— Petite démone, va, dit-il tendrement. Nous avons chacun une famille, des enfants, on ne peut pas tout balancer comme ça, tu imagines un peu le bordel que ça va foutre dans la vie de tout le monde?

— Mais…

— Tut, tut, tut! fait Christian.

— Christian, c'est important, nous devons parler de tout ça.

— Mais pourquoi? Tu n'es pas bien, là? Profitons de ce moment ensemble et ne le gâchons pas avec tous ces problèmes.

— Mais Christian, il faudra en parler tôt ou tard ! Si un des deux se fait prendre, est-ce que l'autre est prêt à laisser tomber sa vie de famille ? Et puis… on pourrait quitter nos conjoints et vivre notre vie ensemble sans se cacher, hasarde Brigitte.

Christian l'embrasse dans le cou, la serre contre lui alors qu'elle sent déjà une nouvelle érection poindre dans son dos. Il chuchote :

— Briiidge…

— Je dois savoir, s'impatiente-t-elle en se détachant de lui, c'est trop important.

— Es-tu dans ton syndrome prémenstruel ? Pourquoi toutes ces questions ? Profitons des quelques heures que nous avons ensemble, tente à nouveau Christian.

— Je vois que tu ne veux pas répondre…

— C'est pas ça, enfin, qu'as-tu ? J'adorerais vivre avec toi, mais c'est pas possible, voyons !

Voilà la réponse qu'attendait Brigitte, mais celle aussi qu'elle ne voulait pas entendre. Elle sort du bain et, avec des gestes saccadés, s'essuie. Alors que, avant, elle posait son pied sur le bord de la baignoire, passait la serviette sur sa jambe de façon lascive, s'employait à plaire à Christian à tout moment. Malgré tout, elle a encore besoin de se faire confirmer ce qu'elle a pourtant bien entendu.

— Je comprends que, si j'étais libre, tu ne laisserais pas ta femme pour moi ?

— Bien, voyons, on n'en est pas là, tu compliques les choses pour rien. Si jamais ça arrive, on en parlera.

À moitié essuyée, Brigitte se rhabille et, prête à partir, ramasse son sac à main pendant que Christian sort de l'eau, se sèche et tente de la retenir.

— Si jamais ça arrive, comme tu dis, ce sera trop tard pour y penser. Et moi qui croyais à une histoire d'amour…

— Bien sûr que je t'aime, fait Christian, pourquoi je serais ici, sinon ?

— Adieu! tranche-t-elle.

— Attends! l'implore Christian.

Mais Brigitte est déjà sur le pas de la porte, l'ouvre, tandis que Christian, nu comme un ver, ne peut aller plus loin sans risquer de semer l'émoi.

12

Un bébé ?
Comment faire, sans papa ?

Chloé a invité Sébastien à une petite soirée « intime », l'attirant une fois de plus avec sa bonne cuisine, à laquelle il ne peut résister. Malgré le week-end à Tremblant et quelques textos de plus, elle voit bien qu'il est encore loin de l'engagement.

Pendant ce temps, Charles, le coureur de jupons, baptisé ainsi par Chloé, continue sa cour. Chloé a mis quelques amies avocates sur le dossier. Nul besoin de juge pour statuer sur la preuve, le verdict est tombé !

N'a jamais eu de petite amie sérieuse.

A eu *beaucoup* de petites amies.

La recette idéale du séducteur impénitent, quoi !

Et la recette crève-cœur par excellence.

Non, merci, en a conclu Chloé, elle a assez donné !

Elle n'a donc pas accepté de rendez-vous avec lui. Ce matin-là, un bouquet de roses rouges est arrivé sur son bureau sans carte de l'expéditeur. Et si c'était Sébastien qui se décidait enfin ? a-t-elle espéré. Après un appel, elle a bien vu que ce n'était pas lui, mais plutôt son Adonis, ou Apollon, c'est selon.

À vingt-neuf ans, bientôt trente, Chloé a compris que, si elle attend encore pour avoir son bébé, le temps de rencontrer l'homme, de patienter jusqu'à ce qu'il veuille avoir des enfants puis de tomber enceinte, elle perdra encore deux, trois, quatre ans. Et, qui sait, peut-être ne rencontrera-t-elle jamais ce « Trois-C » qui sera aussi un merveilleux papa. Non, elle n'est pas prête à prendre ce risque et veut précipiter les choses.

Depuis toujours, Chloé rêve d'avoir son petit bébé. En plus, elle adore son père et veut lui donner le plaisir d'être grand-papa avant qu'il soit trop vieux. Elle a pensé se passer de père et jouer le tout pour le tout, prendre les devants et se faire faire un enfant. Le meilleur donneur à ses yeux n'est nul autre que Sébastien. Intelligent, beau, de bonne famille, sans antécédents judiciaires – l'avocate n'est jamais bien loin –, et un homme gentil malgré tout ; même si Sébastien n'a pas réussi à se frayer un chemin pour remporter la palme dans la catégorie « l'amour avec la bonne personne », il reste un très bon candidat pour faire un papa.

Ce soir-là, s'il savait qu'il est considéré comme un père potentiel, il prendrait la poudre d'escampette, et adieu les super spermatozoïdes !

Chloé a déjà songé à l'insémination *in vitro* avec sperme d'un donneur anonyme. Après de nombreuses démarches dans un centre de cryoconservation pour y avoir recours, elle n'a pas réussi à se faire à l'idée que le papa de son petit bébé serait un inconnu. Elle préfère faire son choix elle-même plutôt que de s'en remettre au sort. Des donneurs de sperme, ce n'est pas ça qui manque à Montréal ! Ils feraient la queue, selon l'expression !

Mais voilà, ce n'est pas ce que Chloé recherche.

On lui a précisé que les donneurs du centre sont âgés de dix-huit à quarante ans, en bonne santé, certes, mais tout de même, il s'agit pour elle d'hommes anonymes au passé on ne peut plus nébuleux. Chloé en est venue à penser que ce n'est pas la bonne solution.

Ça lui fait peur.

Elle trouve rassurant de contrôler un aspect de son plan : c'est-à-dire le papa. Une de ses amies, dans la même situation qu'elle, en est arrivée à la même conclusion et fait désormais l'envie de Chloé, avec son beau ventre tout rond.

Ce n'est pas si fou, après tout… Enfin, peut-être.

La recette idéale demeurerait de faire son petit bébé avec un père consentant, bien sûr.

Mais comment ? Avec des hommes qui ne veulent plus s'engager ?!

Et encore moins devenir papa ! Et surtout, s'ils le sont déjà et payent une pension alimentaire ailleurs.

— Tu as préparé un bon souper, s'exclame Sébastien, tu es si bonne cuisinière !

— Merci ! C'est pas difficile, pour moi, la cuisine. C'est pas comme pour mon amie Sarah. C'est trop drôle, elle rate à tout coup ses plats. On l'agace toujours avec ça.

— Sarah, c'est la belle blonde, hein ?

— Oui, elle a un MBA, et elle est super brillante, ça n'a rien à voir.

— En tout cas, c'est pas ton problème. Toi, tu es une excellente cuisinière, même que ta sauce est meilleure que celle de ma mère, et ça, c'est vraiment un compliment, parce que, jusqu'à maintenant, il n'y a personne qui l'a battue, ajoute-t-il.

Mouais… Aimer ma sauce, est-ce une façon de me dire qu'il veut qu'on reste ensemble ? Hummm… Et faire un bébé ? Oh boy !

Chloé a servi un ceviche de crevettes en entrée, qui a été suivie par le plat favori de Sébastien, lire ici : spaghetti bolognaise. De la tarte pour Chloé ! Elle est désormais prête à mettre à exécution le plan qu'elle a élaboré, le « meilleur numéro à vie », s'est écriée Justine à la galerie lorsque Chloé lui en a fait part.

— Vite ! dit-elle, aussitôt le repas expédié, lequel a été servi en un rien de temps. J'ai envie de faire l'amour.

— Je ne t'ai jamais vue si empressée, qu'est-ce qui se passe ? D'habitude, c'est moi qui te le demande !

— Là, je ne sais pas ce que tu as ce soir, mais tu me fais vraiment craquer ! minaude Chloé.

Puis elle s'assoit sur Sébastien et l'embrasse.

— J'aime ça quand tu prends les devants comme ça, dit Sébastien. Tu es pas mal *hot*, toi, ce soir !

Mouais… si tu savais à quoi tu sers, mon petit chou, je ne suis pas certaine que tu me trouverais si hot que ça ! J'ai besoin de tes petits spermatozoïdes…

— Viens dans ma chambre, fait Chloé, on sera plus à l'aise…

La coquine ! Elle a prévu le meilleur endroit pour augmenter ses chances de tomber enceinte ! En effet, une copine lui a dit de lever ses jambes après l'amour pour garder le plus longtemps possible en elle, bien au chaud, la semence de Sébastien. Et quoi de mieux qu'un lit pour s'étendre en attendant que le miracle se produise !

— Ici, dans le salon, on est bien, non ?

— Non, dans mon lit, insiste Chloé, énigmatique.

Mais Chloé comprend ce soir-là qu'elle ne sera jamais capable de se faire faire un bébé en cachette de son papa. Et pour s'assurer qu'avoir un enfant n'est vraiment pas dans les plans de Sébastien, elle lui lance :

— Je suis dans mon *peak* de fertilité, on tente notre chance, j'ai trop envie de toi !

Sébastien, devenu tout blême, va mettre un condom sur-le-champ !

13

Mais, maman…

Dans son salon rempli de boîtes de carton, repliée sur elle-même tel un colimaçon, les genoux sous le menton, Sarah discute avec Chloé au téléphone. Son déménagement étant imminent, et surtout, dans le but d'économiser de l'argent, Sarah a commencé à empaqueter elle-même quelques objets.

Le temps de reprendre le contrôle de sa vie, de voir un peu mieux où elle s'en va, et de déterminer l'argent qui lui restera, elle a loué un appartement non loin de chez sa mère.

— T'as pensé à une vente de garage? demande Chloé. Ça t'aiderait à te débarrasser de bien des choses, et tu pourrais gagner des sous en même temps.

— Je n'y arriverai jamais, Chloé, je n'ai pas le temps de préparer ça, de tout sortir, je suis seule, ne l'oublie pas.

— Comment, seule ? On n'est pas là, nous ?

— Bien… oui, mais vous avez vos occupations, je ne peux pas vous demander ça, voyons…

— Si toi, tu ne peux pas, moi, je peux demander aux autres, déclare Chloé. Tu sais que les gens se ramassent de belles sommes en faisant ça. Je suppose que t'as gardé toutes tes affaires de bébé ?

— Bien… oui, répond Sarah, au cas où j'aurais été de nouveau enceinte, on ne sait jamais !

— Si ça arrive, tu verras, mais en attendant, tu dois débarrasser ta maison. En plus, ça va te sauver un paquet de boîtes !

— Hum… fait Sarah, songeuse. C'est une excellente idée, mais vraiment, je crois que Justine et Brigitte ont autre chose à faire que de jouer à la vendeuse chez moi ! Et toi, Chloé, tu as si peu de temps libre…

— C'est vrai, mais pour la bonne cause, je suis prête ! s'exclame-t-elle.

— Je vais y penser, car je devrai m'occuper de ma mère aussi – elle s'en vient d'ailleurs. Imagine, son *toy boy* l'a plantée là, comme je l'avais prédit, remarque, pas besoin d'être une sorcière !

— Estime-toi chanceuse d'avoir une mère, lance Chloé. Même si tu dois la remonter une fois de temps en temps.

— Oui, mais c'était voué à l'échec, son histoire avec son *toy boy* !

— Comme elle te l'a dit, argumente Chloé, elle s'est payé du bon temps en attendant.

— Vu comme ça, c'est vrai. Peut-être que c'est moi, finalement, qui ne fais que travailler, qui ne m'amuse plus !

— Une fois que tu seras installée dans ton nouvel appartement, tu pourras recommencer à vivre un peu plus.

— Chloé, dis-moi, trouves-tu que je deviens vieille et ennuyante ?

— Bien non, voyons donc, qu'est-ce que tu dis là ? Mais il est vrai que ta mère a mal choisi son temps, tu ne l'as pas eue facile, ces dernières années.

— Peut-être que c'est de la jalousie, après tout, moi, je n'ai même pas de chum, et ma mère de cinquante-neuf ans, bientôt soixante, les enfile l'un après l'autre !

— Bien non, proteste Chloé, t'es pas jalouse, tu ne veux pas que ta mère souffre, c'est tout.

— Ah ! La voilà qui arrive, je te laisse, bye !

— À plus, ma pitoune !

— À plus ! dit Sarah en raccrochant.

Elle cherche déjà des paroles qui réconforteront sa mère. Une peine d'amour, qu'on ait cinquante-neuf ou vingt ans, ça fait aussi mal.

— Ah ! Maman ! s'exclame-t-elle en ouvrant la porte, viens, je t'ai préparé un bon souper, tu vas voir, j'ai fait des progrès, enfin, un peu… Léa ! Camille ! Venez dire bonjour à Mimi ! crie Sarah vers le haut de l'escalier.

Sarah sait que la vue de ses jumelles fait toujours immensément plaisir à sa mère. Les petites arrivent, réjouies, et sautent dans les bras de leur grand-mère, qui les embrasse avec effusion. Elles repartent aussitôt vers leur jeu.

Sarah et sa mère se dirigent vers la cuisine, où il y a aussi des boîtes empilées.

— Ah ! C'est pas facile, je te dis, laisse tomber Annie.

— C'est vrai, c'est jamais facile, ces affaires-là.

— Il était vraiment gentil quand même…

— Oui, mais beaucoup trop jeune pour toi, maman.

— Moi, je trouve plutôt que c'est moi qui étais trop vieille pour lui.

Sarah va vers le cellier, choisit au hasard une bouteille de vin rouge, l'ouvre.

— Tiens, bois ça, maman, ça va te remonter le moral.

— Oui, j'en ai bien besoin, soupire Annie. C'est pas évident de remonter la pente quand t'as été aussi en amour.

— Je t'avais prévenue, maman, il fallait t'y attendre, il en a trouvé une de son âge, ça ne pouvait pas durer, voyons…

— Mais tu n'y es pas du tout, Sarah! s'exclame Annie. C'est moi qui l'ai laissé!

— Mais, maman…

— Ah! J'en reviens pas! Qu'est-ce qui t'a fait croire que c'est lui qui m'a quittée?

— Mais il était si jeune, si bel homme, ça ne pouvait pas marcher cette histoire! Il y a plein de filles de son âge qui cherchent quelqu'un!

— Bien, que veux-tu? Ce n'est tout de même pas de ma faute s'il aime des femmes plus… expérimentées, si tu vois ce que je veux dire…

— Alors dans ce cas, dis-moi pourquoi tu es tout à l'envers?

— Tout à l'envers, répète Annie, c'est lui qui l'est! C'est pour ça que j'ai de la peine, je l'aimais bien. Le pauvre, il n'arrête pas de me texter, il veut qu'on continue ensemble. Je ne voudrais pas que… tu sais…

— Pas qu'il se suicide quand même? rétorque Sarah.

Elle sort des assiettes et, visiblement agacée, s'apprête à dresser le couvert.

— Laisse, dit Annie, c'est toi qui as l'air pas mal à l'envers, je vais le faire.

Sarah baisse les bras, prend une longue inspiration, retourne à ses fourneaux. Sa mère ne cessera donc jamais de la surprendre. Annie dispose les assiettes sur la table, sereine, zen, heureuse. Elle semble rajeunie avec sa nouvelle façon de s'habiller. Simple legging, long chandail au thème qu'elle affectionne, c'est-à-dire aux motifs de léopard, tigre et félins de toutes sortes, qui ne sont pas la tasse de thé de Sarah mais qui vont à ravir à sa mère. Ses cheveux blonds, souvent attachés en catogan et noués avec un joli ruban, dégagent son visage, mettent ses yeux verts en valeur. Elle semble si bien dans sa peau que Sarah en éprouve une certaine jalousie.

— Mais, sait-on jamais, reprend Annie en soupirant. Les hommes ont parfois plus de difficulté à passer à travers une peine d'amour qu'une femme, pense à une grippe d'homme, tu comprendras, fait-elle en levant un sourcil d'un air entendu… Je ne crois pas qu'il irait jusque-là, il dit ça pour me faire un peu de chantage émotif, c'est normal…

Sarah, ahurie, regarde sa mère.

Je n'ai même pas de chum, ma mère vient d'en quitter un – de MON âge –, et elle a peur qu'il se suicide pour elle !

— Explique-moi un peu, je ne comprends vraiment plus rien… répond Sarah.

Elle jette alors un coup d'œil vers son téléphone, qui vient de tinter, annonçant un texto de Justine.

Elle lit :

« Vente-débarras, dispo prochain week-end. »

Un autre arrive aussitôt de Brigitte :

« Je suis la meilleure vendeuse à vie ! »

Sarah relève la tête et dit :

— Excuse-moi, c'est les filles, elles veulent que je fasse une vente de garage…

— Bonne idée ! Je garderai les petites, ou du moins je viendrai m'en occuper ici si tu préfères.

— Mais qu'est-ce que tu me disais ? Ah oui ! On parlait de Jocelyn…

— Il a une peine d'amour, il va s'en remettre, c'est une question de temps, mais en attendant, il faut que je m'occupe de lui un peu.

— Dis-moi, que fais-tu pour attirer tous ces hommes ? Donne-moi ta recette, maman, ça presse !

— Tu es trop engoncée dans tes principes, Sarah, laisse-toi aller un peu !

Facile…

— Je ne t'ai pas tout dit, continue sa mère, cachottière.

Mais qu'est-ce qu'elle va encore me sortir, celle-là ?

— Quoi ? fait Sarah, sur ses gardes.

— J'ai rencontré quelqu'un...

Bon, ça y est ! Un autre !

14

Quand on aime

Vêtue d'une jolie robe verte sexy, le chignon brouillon, à peine maquillée, Chloé arrive la dernière dans un restaurant à la mode de l'avenue du Mont-Royal. Elle embrasse toutes ses amies.

— Excusez-moi, je suis en retard, j'avais une saisie de salaire à faire, un homme qui ne voulait pas payer sa pension alimentaire. Ha, ha, ha!

— Si au moins je pouvais faire ça, moi, lui saisir son salaire! s'exclame Sarah.

— Dans ton cas, c'est impossible, se désole Chloé. Mais il va finir par revenir, et on le rattrapera.

— Tiens, prends ça! dit Justine, en tendant une coupe de vin à Chloé.

La serveuse, une jeune femme mince à la peau couleur café, très jolie dans son pantalon noir et son chemisier blanc, s'approche et prend la bouteille des mains de Justine.

— Laissez, je vais le faire, déclare-t-elle.

Les amies se taisent le temps que la belle serveuse remplisse les autres coupes.

— *Cheers!* lance Justine en levant son verre. C'est moi qui vous invite! On a beaucoup de choses à célébrer.

— Tu es enceinte! en conclut Sarah aussitôt.

— Tu es enceinte? Quelle belle nouvelle! reprend Brigitte.

— Mais non, arrêtez, vous autres!

— Aaaahhh! font les filles en chœur.

— Non, on fête mon célibat, dit Justine.

— Ton célibat? Comment ça? s'étonne Sarah. Explique-toi...

— *Holy shit!* Qu'est-ce qui s'est passé? enchaîne Brigitte, l'air dépité.

— Pas pour cette histoire d'aller à Paris? demande Chloé.

— Hé! Les filles! Arrêtez! Stop! Si vous me laissiez le temps de parler aussi, je pourrais vous expliquer.

Elles se taisent et regardent Justine.

— Mais parle! ordonne Sarah.

Les amies ne peuvent cacher leur déception et ne savent que dire à celle du groupe qui représente – ou représentait – à elle seule «l'amour avec la bonne personne».

En effet, elles se demandent si ça existe, cette «affaire-là», ou s'il ne s'agit que d'un songe, tout au plus une histoire à raconter aux enfants, le nouveau conte de fées du XXIe siècle, quoi!

Justine a pris sa décision, mais elle n'est pourtant pas au bout de toutes ses hésitations.

— J'ai deux options, dit-elle, soit je refuse de le laisser y aller, et il le regrettera toujours et finira par m'en vouloir. Soit je le laisse partir, et c'est peut-être de lui-même qu'il reviendra, et notre amour n'en sera que plus fort.

— Ça, c'est vrai! approuvent les filles.

— Je lui ai dit qu'il pouvait y aller.

— Hoooooon ! font les filles.

— On va essayer pour un temps. Il ne sait pas s'il va aimer ça, c'est juste pour démarrer sa carrière à Paris. Après, il pourra revenir, ou encore, j'irai vivre là-bas, continue Justine, qui commence à avoir un trémolo dans la voix.

Elle a beau le laisser aller, reste que dans les faits, elle vit déjà son absence et en souffre.

— Et toi, Justine, tu te vois vivre seule ici ? demande Sarah.

À cette question, posée d'une voix si douce mais qui fait si mal, telle une épine de rose ayant frayé son chemin à travers ses veines pour s'incruster dans son cœur, Justine ne peut retenir ses larmes.

— Je ne veux pas qu'il parte, arrive-t-elle à dire entre deux sanglots. Ça me crève le cœur, mais en même temps, je ne peux pas lui faire ça. C'est l'homme de ma vie, s'il n'est pas heureux, il finira par ne plus m'aimer et peut-être même me détester.

— Comme tu l'aimes ! laisse tomber Chloé. C'est si beau de t'entendre !

— Je ne veux pas le perdre, dit Justine, la voix étranglée par l'émotion.

— Et lui, l'interroge Brigitte, est-ce qu'il te dit que tu vas lui manquer, que cette séparation sera difficile pour lui aussi ?

Justine essuie son mascara, qui a coulé sous ses yeux, et essaie de se souvenir de ce détail. Elle répond :

— Bien, il n'a pas dit ça, mais quand il a vu que j'avais tant de peine, il m'a dit d'oublier tout ça, qu'il n'irait pas. Mais je ne peux pas lui faire ça, je veux qu'il soit heureux.

La serveuse vient prendre la commande.

— Alors, vous êtes prêtes ? demande-t-elle, l'air enjoué.

Mais lorsqu'elle voit Justine, elle est sur le point de tourner les talons.

— Donnez-nous deux minutes, fait Chloé.

— Ça va, je repasserai, ne vous en faites pas, nous ne sommes pas pressés.

Les amies plongent le nez dans leur menu.

— Comme c'est triste, tout ça ! reprend bientôt Sarah. Tu étais notre modèle d'amour avec la bonne personne !

— C'est encore la bonne personne, mais... il faudra attendre quelques mois, j'espère qu'il comprendra vite. Il va tellement me manquer, je ne me vois pas vivre sans lui.

— En tout cas, ne mets pas ta vie de côté, ta carrière, pour un homme, je te le dis, c'est la pire erreur que tu pourrais faire ! déclare Brigitte.

Justine sourit et dit :

— Ma galerie, c'est comme mon bébé, c'est ce que j'ai le mieux accompli dans ma vie, je n'ai aucune envie de m'en défaire. Mais je pourrai aller le visiter, disons une fois par mois, et lui aussi viendra ici, à l'occasion, et il y a les vacances. On va voir au fur et à mesure comment les choses se présenteront.

Sarah avance le menton, plisse ses lèvres, demande, l'air suspicieux :

— Cette baronne, tu l'as vue ?

— Non, répond Justine, mais il m'a dit qu'elle a environ cinquante ans, qu'il ne faut pas que je m'en fasse, c'est moi qu'il aime.

— Hum... je ne veux pas être rabat-joie, mais étant donné ce qui arrive à ma mère, fait remarquer Sarah, à ta place je me méfierais, Justine. Les *couguars* ne sont pas reposantes de nos jours ! Elles ont de bonnes griffes ! Moi, si j'étais toi, j'irais faire mon tour assez vite, histoire de marquer mon territoire !

— Mais... est-ce que tu crois que Zib lui plaît ? demande Chloé.

— C'est ce que je soupçonne, elle semble en pincer pour lui. Enfin, elle dit qu'elle veut le présenter dans le milieu, répond Justine.

En effet, cette baronne tient salon comme Gertrude Stein le faisait à l'époque, rue de Fleurus, et comme elle, elle reçoit tous les samedis. Peut-être qu'elle aime plus les artistes que leur art ? Va savoir !

— Moi, je suis certaine que Zib ne te ferait pas ça, affirme Sarah. Vous venez de vous marier ! Vous revenez de votre lune de miel ! Souviens-toi, lorsqu'il partait pour Paris après le voyage au Mexique, ce n'était pas pour une femme, mais bien pour sa peinture. Ce n'est pas un peintre du dimanche, que tu as, Justine, c'est un vrai, avec ses questionnements, son ambition, il veut avancer, apprendre de nouvelles techniques.

— Oui, je sais, mais tout de même... laisse tomber Justine.

— Comme c'est compliqué, les relations amoureuses ! Au fond, les hommes ne devraient être que des friandises que l'on mangerait le soir avant d'aller se coucher ! dit Chloé.

Justine jette un coup d'œil vers son amie, sourit. Elle répond, en faisant la moue :

— Ça, c'était à une autre époque !

— Moi, je dis que les hommes, c'est comme les Smarties : il faut en essayer plusieurs avant de tomber sur la bonne saveur ! affirme à son tour Brigitte.

Les amies pouffent de rire en replongeant la tête dans leur menu.

15

Avoir encore envie de lui...

Brigitte regarde l'écran de son ordinateur et se retient pour ne pas répondre aux nombreux courriels de Christian. Une semaine après être partie du Reine-Elizabeth en plaquant son amant nu sur le pas de la porte, elle parvient à résister cependant que les appels, les textos, les courriels n'ont pas cessé.

« Tu ne m'as même pas laissé le temps de m'expliquer, je t'aime ! » lit-elle.

Brigitte tapote sur le clavier sans rien imprimer.

« Tu me manques terriblement », lit-elle encore.

Les doigts de Brigitte se font de plus en plus impatients.

Oh ! Gosh ! Brigitte, ne réponds pas, tu vas retrouver ta petite vie tranquille... Mouais... dit comme ça, c'est pas très romantique ! Est-ce vraiment ça que tu veux, une vie tranquille ?

« J'avais eu une grosse journée, j'étais fatigué, j'étais si bien avec toi, sentir ton corps contre le mien, ton dos contre moi, je n'avais envie de rien d'autre…»

Oui, que de me baiser! Et moi, t'as pensé à moi? À tout ce que j'ai pu ressentir? Non!

Et comme si Christian entendait ses arguments, il continue.

«Je ne voulais surtout pas te blesser, c'est la dernière chose que je veux, je t'aime beaucoup trop pour ça.»

De la main, Brigitte caresse maintenant le clavier, se remémore leurs rendez-vous secrets, et il faut bien le dire, pense au grand vide que l'absence de Christian a laissé dans sa vie. Malgré tout, elle n'arrive pas à l'oublier. Dans chaque minute écoulée figure une parcelle de Christian, un fou rire, une caresse, mais aussi d'ardentes étreintes.

Ne réponds pas…

Mais les doigts de Brigitte deviennent fébriles, tapotent en surface un J, un E, un T, une apostrophe, un A… mais n'enfoncent toujours pas les touches. Puis, n'y tenant plus, elle répond:

«Tout a été dit, Christian, tenons-nous-en à ça, ne brisons pas nos vies, la vie de nos enfants pour rien.»

«Comment, pour rien?»

«Avant que ce soit trop tard, que Jean ou que ta femme découvrent notre relation. On n'aurait pas dû. Laisse-moi, ne m'écris plus. De toute façon, nous ne voyons pas les choses de la même façon, toi et moi. Adieu.»

«Tu ne peux pas me dire ça comme ça, sans qu'on se voie.»

«Oui, je peux.»

«Si tu as peur de me voir, c'est que tu éprouves encore des sentiments pour moi.»

«Christian…»

Christian profite des points de suspension, y voyant une petite brèche pour tenter une nouvelle offensive.

« Si tu ne veux pas qu'on se rencontre au motel, donnons-nous rendez-vous chez IGA. Je t'en prie, j'ai besoin de te voir, une épicerie, ce n'est pas dangereux. »

« C'est très dangereux, au contraire, puisque c'est là que tout a commencé. »

« Laisse-moi te voir une dernière fois, je t'en prie, je serai sage et ne te toucherai pas. »

« Je ne te crois pas, je sais que tu tenteras quelque chose. »

« Non, je te le promets, je veux juste te voir une dernière fois. Il me semble qu'on se doit ça après tous ces merveilleux moments passés ensemble. Tu ne peux pas avoir oublié toutes nos conversations, nos rires. Être avec toi, c'est comme vivre au paradis. Brigitte, tu me manques terriblement, ma vie est bien vide sans toi, tu ne peux pas me laisser comme ça, fais-le au moins en souvenir de notre amour. »

« Je ne peux plus te voir, Christian. Nous embrasser a été une erreur. »

« Pas une erreur, Brigitte, un grand bonheur. Viens me le dire face à face, c'est tout ce que je te demande. Après je ne te demanderai plus rien, promis. »

Brigitte caresse sa lèvre inférieure du bout de l'index. Elle fixe l'ordinateur, s'imaginant Christian devant elle. Puis elle passe une main furtive sur l'écran devenu muet, comme si Christian pouvait entendre ses pensées secrètes. Elle a un brin de nostalgie, ferme les yeux un moment.

Oh ! Gosh ! J'étais si bien dans ses bras…

Finalement, relâchant sa garde, elle écrit :

« Juste pour parler, tu me promets de ne pas insister ? »

Sur l'écran, les lettres se forment une à une :

« O u i, j e t e l e p r o m e t s. »

« Demain, IGA, 17 heures », écrit Brigitte.

16

Rambo

C'est samedi. Chloé se réveille seule dans son lit king, s'étire, bâille en laissant échapper un long soupir, jette un coup d'œil sur son iPhone et regarde ses messages, encore tout endormie.

Rien d'intéressant...

Elle se lève et s'étire de nouveau de toute sa longueur. Son iPad à la main, elle va dans la cuisine, et comme d'habitude, met tout de suite en marche sa machine à cappuccino, qui lui a coûté la peau des fesses sans qu'elle en éprouve une once de tristesse ! Un must !

Dans son mélangeur, elle largue un paquet de fruits, du yogourt, du jus de canneberges, un peu de glace. Elle jette un coup d'œil sur son iPad, ouvre *La Presse*, puis distraitement, appuie sur le bouton *On* de son mélangeur.

— AAAAAAAHHHHHH ! hurle-t-elle.

Chloé se jette sur le bouton *Off*, puis se laisse choir sur une chaise. Elle n'a qu'une envie en découvrant ses murs souillés et son comptoir éclaboussé de fruits divers : pleurer toutes les larmes de son corps. Elle se dit qu'elle doit tout nettoyer avant que les taches de kiwis, de canneberges et de yogourt à saveur de fraise ne s'incrustent partout !

— Je le savais que ça m'arriverait un jour ! s'exclame-t-elle, découragée.

Au bout de vingt minutes, les murs ayant repris leur teinte naturelle, elle fixe son mélangeur quelques secondes en plissant les yeux.

Hum ! Mon petit maudit, toi !

D'un coup sec, elle le débranche et le fout à la poubelle.

Tiens ! Ça t'apprendra aussi !

Après tous ces émois, un petit-déjeuner « sécuritaire » ferait bien son affaire. Elle ouvre son frigo. Du pain. Que du pain.

— Bon, bien, pas le choix, fait-elle.

Elle fait griller une tranche, et, pendant ce temps, lit le journal sur son iPad. Elle butine d'un article à l'autre, consulte de nouvelles pages.

Finalement, n'ayant pas abandonné son idée d'acheter un chien pour lui tenir compagnie, en attendant l'homme de sa vie, elle va dans Google, tape « chien, yorkshire ». Elle furète dans les annonces d'éleveurs, clique sur l'une d'elles. Et là, tout mignon, apparaît comme par enchantement le plus adorable des petits chiens qu'elle ait jamais vu !

Trop cute ! C'est lui que je veux ! Ce sera mon petit Rambo !

Avec son pelage noir, quelques touffes de poil ébouriffées qui tombent devant ses yeux, ses petites oreilles beiges, son air irrésistible, il a tout de suite conquis le cœur de Chloé.

C'est lui qu'il me faut ! Il est trop mignon. Mais où es-tu, toi, petite face de singe ?

Elle cherche dans le site et trouve bientôt l'information : Ottawa. La bouche arrondie, elle pose un doigt contre sa joue, lève les yeux au ciel pour réfléchir.

Huuuummmm! Et si Justine venait avec moi? Elle pourrait me dire s'il a bon caractère. Le coquin peut me faire cette frimousse et s'avérer être un petit monstre... Et c'est un mâle, en plus, en plein ce que je veux! Au moins, j'en aurai un dans ma vie... et dans mon lit: il est si petit, il pourra faire dodo avec moi! Du moins... jusqu'à ce que je rencontre mon « Trois-C »!

Sur son cellulaire, elle choisit une icône de petit chien, puis une voiture, et texte ensuite:

«Justine?? Coucou?? T'as envie d'aller à Ottawa?»

Elle regarde à nouveau son écran, le petit chien la fixe, tête penchée, ses petits yeux implorants. Elle sourit. Sonnerie de texto, elle regarde son iPhone:

«Oui, tu peux pas savoir comme j'en ai besoin.»

«Besoin d'aller à Ottawa, toi? Cool, on fera nos courses ensemble!»

«Pas de courses, juste me changer les idées, répond Justine. Et toi, pourquoi Ottawa?»

«Le plus mignon des petits yorkshires.»

«*Oh boy!*»

«Je passe te prendre dans une heure!»

D'un bond, elle saute de son tabouret, oublie son pain grillé, va dans la douche, ressort, se maquille à peine, comme à son habitude, et remonte ses cheveux en un gros chignon sur le dessus de sa tête, tel un nid d'oiseau. Puis elle met un pardessus, relève son col, s'engouffre dans sa voiture, direction: chez Justine, puis enfin, Rambo! Et s'il était vendu? s'inquiète soudain Chloé.

Dès son arrivée devant la maison de son amie, elle envoie un courriel chez l'éleveur et texte ensuite à Justine.

«Suis en bas.»

Quelques secondes plus tard, Justine sort en talons hauts, elle descend les marches à la course, le manteau détaché, un grand foulard gris autour du cou.

Elle entre dans la voiture, s'assoit, ou plutôt, se laisse choir sur la banquette.

— T'as trouvé ton Yorki! dit-elle.

— Je crois que oui, mais je veux que tu le voies, je veux l'appeler Rambo! Il est trop *cute*!

— J'ai hâte de voir ça! Rambo! T'en as des idées, toi, ma Chloé, tu me feras toujours bien rire! C'est certain qu'avec un nom comme ça il fera peur à tout le monde! ajoute Justine en riant.

Arrivées chez l'éleveur, les deux femmes sont conduites dans un chenil, où une dame et une meute joyeuse les accueillent. Mine de rien, Justine évalue l'endroit, la propreté des lieux, les jouets colorés qui jonchent le sol, elle note que la dame s'adresse aux chiots gentiment. Enfin, le chenil lui semble très convenable. Les chiens jappent et frétillent de la queue, l'air de dire: «Moi, moi, moi!» Évidemment, ils sentent bien que, avec Chloé, ils auront une belle vie de chien!

Mais Chloé n'aura de cesse qu'elle n'ait repéré Rambo. Pas facile puisque les chiots sont à peu près tous pareils! Elle les examine, mais ne retrouve pas celui dont la petite binette si adorable l'a fait craquer.

Tout à coup, Chloé aperçoit un petit chien qui vient vers elle et qui la regarde d'un air implorant, la tête basse, de côté. Il lève une paupière pour voir l'effet qu'il fait et se met à agiter la queue. Ses yeux, sous le coup de l'émotion et du message qu'il veut passer, deviennent tout humides, comme s'il allait pleurer. Chloé n'arrive plus à détacher son regard de la bête.

— Rambo! fait-elle, viens, viens me voir, mon petit amour!

Justine observe Chloé, puis le chien, et elle sourit. Le yorkshire prend son petit os dans sa gueule, s'approche, puis le dépose aux pieds de Chloé, dont les yeux s'emplissent d'eau.

— C'est lui, déclare-t-elle, c'est lui que je veux!

Finalement, le petit animal se couche aux pieds de Chloé, qui se penche pour le flatter. Il fourre son museau entre ses pattes avant et jette un coup d'œil vers sa future maîtresse afin de s'assurer que sa mise en scène a fonctionné; c'est totalement réussi, à en juger par la mine attendrie de Chloé.

— Tu crois que ce sera un bon chien? demande Chloé à son amie.

Justine le prend, fait quelques tests d'usage, regarde ses yeux, ouvre ses mâchoires, les referme, le retourne sur le dos, examine ses organes, puis elle prend ses clefs, les fait tinter, analyse ses réactions, elle pince gentiment sa peau, fait d'autres tests de comportement. Elle demande de voir les papiers, note l'âge du chiot.

— Huit semaines, dit-elle, c'est l'âge idéal.

Pendant ce temps, Chloé se mord l'intérieur de la joue en attendant le verdict. Justine déclare enfin que, oui, Rambo fera un excellent chien, au grand soulagement de Chloé, qui l'avait déjà élu dans son cœur.

Elle le ramasse, donne un baiser sur sa tête, Rambo la regarde, pousse un petit cri de bonheur, comme s'il avait tout compris. Chloé le pose contre son cou, le serre contre sa poitrine généreuse, où Rambo se plaît merveilleusement.

Elle est conquise.

— C'est combien? demande-t-elle.

17

Le démon de la jalousie

Elliot passe devant le nouveau bureau de Sarah d'un pas rapide, en parlant au cellulaire et en gesticulant.

Hum!... Pas un regard vers moi, bizarre...

Sarah s'est habituée aux petits gestes qu'Elliot a tendance à faire en la voyant, genre : un hochement de tête à peine esquissé, un léger sourire, ses yeux bruns qui deviennent plus perçants, mais aussi sa main, passée dans ses cheveux, qu'elle a tant aimé caresser.

— Je dois te laisser, je t'embrasse, entend-elle. Oui... oui... ce week-end, oui, à New York. Tu es contente?

Sarah tend l'oreille, piquée par la curiosité. A-t-elle bien entendu «je t'embrasse, New York...»? La voix s'éloigne, mais elle peut comprendre d'autres bribes. Au son, elle suppose qu'il a fait un arrêt devant le distributeur d'eau embouteillée. Vite, elle se lève et, sur la pointe des pieds pour ne pas faire claquer ses talons contre le sol, s'approche du cadre de la porte de son bureau. Tapie contre le mur, elle tend l'oreille de nouveau.

— Moi aussi, entend-elle clairement dire Elliot.

Moi aussi… je t'aime?

— J'ai réservé au Eleven Madison Park, continue Elliot. Oui, comme l'autre fois… Tu avais tant aimé.

Puis il continue:

— Mais non, ça va, je ferais n'importe quoi pour toi…

Ça y est, le Joueur, ou l'Idiot bien membré, a une copine!

Mais Sarah ne peut réprimer une pointe de tristesse qui chamboule son cœur.

— Allez, je te laisse! Oui, oui, je t'embrasse. Mais oui, je te l'ai dit tout à l'heure… Bon, allez! Je raccroche, là…

Merde! S'il repasse par ici, je suis faite!

Toujours plaquée contre le mur, Sarah retourne promptement à son fauteuil sur la pointe des pieds. À mi-chemin de son bureau, elle entend dans son dos:

— Qu'avez-vous? Vous avez mal aux pieds ou quoi? Vous avez besoin d'une augmentation pour vous acheter de nouvelles chaussures?

Merde, il a le don, celui-là, de toujours être là au mauvais moment!

— Euh… Je faisais mes pointes de ballet, bredouille Sarah.

— Du ballet? fait Elliot, je ne savais pas que vous aviez ce talent!

— Oui, bien… euh… c'est nouveau, j'ai toujours voulu prendre des cours.

— Alors vous êtes bien partie, c'était joli de vous voir. C'est incroyable, la magie du ballet, on ne vous entendait même pas marcher, la taquine Elliot.

Très drôle.

Sarah a besoin d'en savoir un peu plus sur son week-end à New York. A-t-elle bien entendu?

— Au fait, dit-elle, est-ce que vous êtes disponible ce week-end? J'aurais un client à vous faire rencontrer.

— Un client, le week-end? s'étonne Elliot, le sourcil relevé.

— Euh… Oui… il s'en va… oui! En vacances, et… il voudrait régler sa campagne avant de partir.

— Un gros contrat?

— Oui, substantiel.

— Je vous fais confiance entièrement, Sarah, réglez ce dossier, vous m'en donnerez des nouvelles lundi.

Merde! Je n'en sais pas plus! Pas si Idiot que ça, et bon Joueur quand même. De toute façon, je me fous de lui, je ne pourrai jamais lui faire confiance après ce qu'il m'a fait. Et c'est sans parler de mon emploi! Rappelle-toi, Sarah, c'est l'amour avec la mauvaise personne.

— Allez! Au travail! Et pour le ballet, achetez-vous des chaussons de danse, vous pourriez vous blesser avec ces talons hauts! Je ne peux pas me permettre de vous perdre. Ah oui! J'oubliais, vous avez fait les démarches pour votre déménagement?

— C'est ce que je suis en train de faire, justement.

— Oubliez ça, j'ai un ami qui est là-dedans, il vous contactera au courant de la journée, il est très professionnel, vous n'aurez pas meilleur prix ailleurs, je vais lui demander comme un service.

Sarah n'a pas le temps de répondre qu'Elliot repart aussi vite qu'il est entré dans son bureau.

Qu'est-ce que tu te figures, Sarah? C'est ça, il est déjà ailleurs, il a une copine, il fait sa vie, et puis, tu ne l'aimes plus, qu'as-tu à te préoccuper de lui encore, hein? Jalouse? Mouâââ? Bien sûr que non!

Elle va aussitôt sur Google et tape «Eleven Madison Park, New York». Elle lit: «Un des meilleurs restaurants de New York.» Elle clique sur «Menu»: cent quatre-vingt-quinze dollars par personne. Elle ne voit pas de description, mais les photos lui mettent l'eau à la bouche.

Merde et re-merde! Et… si c'était moi, la coincée?

18

Clin d'œil au tome 1 !

— Ah! Puis tu m'annonces que Zib s'en va à Paris comme si c'était la chose la plus normale qui soit! Je te l'avais bien dit, t'as choisi l'artiste, et regarde où tu es rendue maintenant! Tu aurais dû m'écouter, s'exclame Élisabeth, la mère de Justine.

— Maman, s'il te plaît, ne recommence pas…

— Avoue, Justine, avoue que j'avais raison!

— Non, maman, je n'avoue rien, Zib m'aime et je l'aime.

— Oui, mais là, qu'est-ce que je vais dire à mes amies? Que tu es mariée, puis que ton mari habite à Paris et toi à Montréal?

— Bien, ça ne regarde pas tes amies! riposte Justine.

— Henriette me nargue toujours que, ELLE, elle a cinq enfants et aucun divorcé!

— Mais je ne suis pas divorcée, maman!

— Bien, c'est tout comme! Si t'avais épousé Philippe aussi, t'aurais pas tous ces problèmes-là sur le dos!

— Maman, ça va faire!

19

Résister ou craquer ?

D ans sa cuisine, Brigitte regarde nerveusement l'heure sur sa montre. Elle a entendu un bruit de clefs dans la serrure. Elle n'attend pas ses fils avant sept heures.

Oh ! Gosh ! Mon mari !

Un contrat, non loin de la maison, a permis à Jean de revenir plus tôt que prévu. Son arrivée inopinée vient contrecarrer les projets de Brigitte, qui devait avoir le champ libre à cette heure de la journée. Comme Jean le fait d'habitude, aussitôt qu'il entre dans la maison, il se dirige vers la télé, l'ouvre, ensuite il enlève son veston, sa cravate, relève ses manches de chemise, puis il vient donner à Brigitte un petit baiser. Sans étreinte. Ce qui a toujours agacé Brigitte. C'est comme si elle n'existait qu'après ses petits gestes quotidiens.

Plus que dix minutes avant cinq heures, son rendez-vous avec Christian.

Shit! I have to go! Qu'est-ce que je peux bien inventer?

Elle se mord la lèvre.

I know!

Vite, elle s'empare du pot de moutarde de Dijon, vide le contenu dans l'évier en laissant couler de l'eau chaude pour tout nettoyer, puis le pose sur le comptoir. Preuve irréfutable qu'il en manque!

Elle enfile son manteau et lance à son mari, déjà installé devant la télé:

— Jean, je vais à l'épicerie, il me manque de la moutarde de Dijon pour continuer ma recette!

Comme cette moutarde a été à l'origine de leur rencontre, il lui semble tout naturel d'employer cette excuse pour clore son histoire avec Christian.

— Ah! fait Jean, distraitement, déjà occupé à regarder la télé.

Brigitte prend ses clefs sur la commode et se dirige vers l'épicerie.

Je me demande s'il s'est rendu compte que je suis partie. Il est programmé comme un robot, les mêmes gestes tous les soirs!

Elle ne peut faire autrement que comparer ses deux vies. Plus ça va, plus elle trouve Jean ennuyeux. Il ne l'aide pas dans la maison, ne lui propose jamais rien qu'ils pourraient faire tous les deux, sans les enfants. Elle doit décider, cuisiner, récurer, nettoyer, proposer les sorties, réserver les vacances familiales, rencontrer les professeurs et plus encore. Tout repose sur ses épaules, tellement qu'elle se demande comment son mari et ses deux fils arriveraient à vivre si elle n'était pas là.

Au fond, doit-elle s'avouer, elle en a marre, de sa vie de couple.

À New York, alors qu'elle travaillait et rencontrait beaucoup de monde, elle n'avait pas réalisé à quel point sa vie était devenue d'un ennui mortel. Aujourd'hui, elle voit ses copines amoureuses, et le miroir de la vie lui renvoie le reflet de la sienne, qui lui apparaît monotone. Elle s'estime trop jeune pour faire une croix à jamais sur l'amour, sur la vie. Elle se demande si elle n'est pas en train de passer à côté de quelque chose d'essentiel pour elle et la plupart des femmes : vivre avec l'homme qu'elle aime. Mais elle pense à ses fils, a un serrement dans la gorge, éprouve des remords à l'idée de les couper d'une famille réunie.

Arrivée dans le stationnement du IGA, elle aperçoit la voiture de Christian tout au fond. Elle se dirige vers le véhicule, se gare à côté. Dès qu'il voit Brigitte, Christian sort de sa voiture. Prévoyant, il se dit que, de cette façon, ce sera lui qui mettra un terme à l'entretien. Pas Brigitte. Qui pourrait, comme elle l'a si souvent fait, s'enfuir et ne plus revenir.

Cette rencontre est cruciale, et il en est conscient. En bon banquier, il a analysé ses chances, qui se résument à une seule, en somme : s'il arrive à l'embrasser, il sait que la partie sera gagnée et qu'il emmènera Brigitte de nouveau au motel.

— Brigitte, tu es si jolie, et moi, comme un con, je t'ai fait de la peine, dit-il en approchant sa main pour toucher son visage.

— Tu as dit que tu ne me toucherais pas, souviens-toi…

— OK, fait-il en retirant sa main, mais j'ai des yeux et je peux dire que tu es vraiment belle.

— Arrête ton cinéma, là, le coupe Brigitte, pourquoi veux-tu me voir ? Il me semble qu'on s'est tout dit.

— Comment peux-tu être aussi froide ? Je t'aime, Brigitte, là n'est pas le problème, je sais ce que tu penses, et ce n'est pas vrai. Tu n'es pas une maîtresse pour moi, tu es beaucoup plus que ça. Crois-tu que je prendrais tous ces risques si je ne t'aimais pas ?

— C'est ce que tous les hommes qui ont une maîtresse font, non ?

Christian est momentanément désarçonné, mais il réplique aussitôt.

— Je te disais seulement qu'on devrait penser à tout ça ensemble…

— Ce n'est pas ce que tu m'as dit, voyons…

— Tu ne m'as pas laissé le temps de t'expliquer ! Comment peux-tu savoir ce que je voulais te dire ?

— On peut dire que, quand c'est le temps de compter, tu es vite, mais quand c'est le temps de parler, t'es sur le mode « écono » !

— Brigitte… donne-moi du temps pour parler à ma femme, je vais l'amener tranquillement sur le sujet, ça ne se fait pas en une semaine, ça…

— Je ne suis pas bien dans cette relation, Christian, j'ai du mal à mentir à mon mari.

— *Babe*…

— Non, ne m'appelle pas *babe* ! Je crois que tu veux juste gagner du temps.

— Moi ? Gagner du temps ? Regarde plutôt tout ce que je fais pour que nous soyons ensemble, et puis… tu m'es arrivée avec ça, tu ne m'as même pas laissé le temps d'y penser. Même que je croyais que tu étais très bien ainsi, que tu me voyais seulement comme un amant, que tu ne m'aimais pas vraiment.

Là-dessus, Brigitte lui donne raison, il est vrai qu'elle n'a jamais parlé de tout ça clairement avec lui. Mais lui en avait-il seulement donné l'occasion ? Devant le silence de Brigitte, Christian sent qu'il a enfin touché la corde sensible. Il dit :

— Bridge, donnons-nous un peu de temps, tout ça est si soudain. Je ne veux pas te perdre, ajoute-t-il en prenant une mèche de ses cheveux avec laquelle il joue entre ses doigts.

— Christian…

— Tu me manques tellement…

Troublée, Brigitte baisse la tête, pince les lèvres, croise les mains sur ses jambes, pendant que Christian en profite pour les recouvrir de la sienne. Enfin, il prend son menton délicatement dans sa main, l'intimant du geste à tourner son visage vers lui.

Ainsi perdue dans ses yeux, elle n'a aucune chance de résister à son appel.

À ce moment, Christian sait qu'il a gagné la partie. Il pourra fixer un autre rendez-vous, et Brigitte s'y rendra. Et pour s'en convaincre, il approche son visage du sien, l'embrasse, force un peu ses lèvres avec sa langue, mais pas pour bien longtemps.

— Je t'aime, dit-il.

Mais Brigitte ne répond pas.

20

Avec ou sans condom ?

Une fois de plus, après avoir fait l'amour « avec condom », Chloé se tourne sur le côté, fait dos à Sébastien.

Elle est triste.

Des yeux, elle fait le tour de sa chambre pas décorée. Bien qu'elle habite là depuis un peu plus de deux ans, elle n'a toujours pas réussi à se faire un joli nid douillet. Comme si elle ne prenait pas le temps de terminer sa déco, au cas où elle quitterait bientôt son condo.

Trop petit pour un duo.

Elle voit bien que sa vie ne va nulle part avec son « adulescent ». Le test du condom a été très révélateur à ses yeux. Surtout par la vitesse à laquelle Sébastien a réagi à l'idée d'avoir un bébé : son teint blême en disait long, beaucoup plus que s'il avait parlé.

Depuis quelque temps, Chloé songe à le laisser. Elle sait bien qu'elle aurait dû mettre un terme à cette relation, qui n'en est même pas une, depuis longtemps déjà. Mais par faiblesse, par habitude, trop prise par son travail, elle a toléré la situation en pensant que rien ne l'empêcherait de trouver le bon un jour ou l'autre, même si elle continuait à voir Sébastien à l'occasion.

C'est Justine qui a raison : je garde Sébastien dans ma vie pour avoir un semblant de relation, et je n'ai pas le courage de me séparer de lui.

En attendant, les années filent sous le nez de Chloé et son horloge biologique sonne.

Elle sent qu'elle tourne en rond. Par ailleurs, elle travaille trop, et sa patronne lui en demande toujours plus. Elle doit trouver le courage de rompre avec Sébastien, et aussi d'affronter sa patronne pour avoir congé les soirs et fins de semaine. Enfin, en restant disponible un ou deux soirs pour des cas de force majeure, mais si elle en croit sa boss, tout est urgent ! Elle doit apprendre à mettre ses limites, non seulement dans ses amours mais également dans son travail.

En somme, elle veut changer de vie.

Sébastien s'approche d'elle, remonte le drap sur son épaule, pose la main sur sa hanche.

— Qu'est-ce que t'as ? Il me semble que t'as joui, non ?

— Ah ! Les hommes ! Il n'y a pas que ça, jouir ! s'exclame Chloé, exaspérée. Oui, j'ai joui, mais je veux plus ! Je veux vivre avec un homme, je veux avoir une famille, je veux tout, la piscine, le cabanon, la maison, les enfants, tout, Sébastien, tu entends ? Une vraie vie !

Puis elle se lève, enfile un boxer et un vieux t-shirt. Sébastien est accoudé, la regarde s'habiller, se demande ce qu'il a dit de si terrible pour qu'elle se fâche ainsi.

— Ah ! Et puis, ça ne va pas, nous deux ! Ça ne donne rien d'essayer, ça ne marchera jamais ! ajoute Chloé en partant vers le salon.

Sébastien la suit, nu, les deux mains dans les airs.

— Comment ça, ça ne marche plus ? s'écrie-t-il. Tu ne m'as jamais dit ça !

— Bien, là, t'exagères, je n'arrête pas de te le dire justement! rétorque Chloé en se laissant choir dans son canapé.

— Ça n'a jamais été clair comme ça en tout cas, fait Sébastien, surpris. Puis le week-end à Tremblant? Tu l'oublies? Tu n'as même pas remarqué que j'ai fait des efforts!

Des efforts...

— Comme tu es romantique! s'exclame Chloé. Tu entends ce que tu me dis? Faire un effort pour m'inviter un week-end! Ça fait des mois qu'on est ensemble, qu'on se connaît, je devrais dire, et tu ne m'as même pas présenté tes parents! Tout ce que tu veux au fond, c'est une fille avec qui baiser une fois de temps en temps quand tu en as envie. J'en ai assez, de ça, Sébastien, moi, j'en peux plus.

— Donne-moi une autre chance, tu vas voir, je vais changer...

— Quand? À quarante ans?

— Bien... pas à quarante...

— C'est trop tard, Sébastien! dit Chloé, la voix tremblante, alors que roulent sur ses joues de grosses larmes qu'elle essuie.

— Je t'aime, dit Sébastien.

Chloé se retourne pour lui faire face et laisse tomber tristement:

— Peut-être, mais pas comme je veux. C'est la totale que je cherche, et toi, tu n'es pas prêt pour ça.

— On est bien comme ça. Tu travailles fort, on se voit quand on peut, on n'a pas d'obligations... Moi, j'ai toujours pensé que ça faisait notre affaire à tous les deux, se défend Sébastien.

— Va te rhabiller et va-t'en, j'en ai assez, je te dis!

— Mais donne-moi une chance!

— Je t'en ai donné cent déjà. Là, tu me dis que tu m'aimes juste parce que tu as vu que je me suis fait *cruiser* sur une terrasse!

— Ah! Je comprends, maintenant, tu veux me *flusher* parce que le gars t'a rappelée et tu me laisses pour lui? C'est ça? Avoue!

— Non, je ne te laisse pas pour lui, je te laisse, point. Je passe à un autre appel, Seb! J'ai perdu trop de temps déjà!

Chloé le regarde s'éloigner, éprouve une pointe de nostalgie.

Il ne changera pas, Chloé, il ne changera pas...

21

Le départ

Il ne reste plus que quelques minutes avant que Zib doive passer le dernier contrôle à l'aéroport de Montréal. Les deux amoureux ont la gorge nouée à l'idée de cette séparation. La première depuis qu'ils se sont rencontrés. Zib enlace Justine et l'embrasse avec émotion.

— C'est provisoire, dit-il pour la réconforter.

— Je sais, mais le condo sera si vide sans toi, répond Justine d'une toute petite voix.

— Tu verras, tes amies ne te laisseront pas, elles vont t'inventer plein de sorties !

— Oui, ça, je sais, mais tu vas tellement me manquer !

— Tu vas me manquer, toi aussi, ma chérie.

— Je t'aime, dit Justine.

— Je t'aime, répond-il en l'embrassant encore. Dans trois semaines tout au plus, ajoute-t-il, si tu ne peux pas venir à Paris, c'est moi qui viendrai, promis.

— Trois semaines, c'est très long, constate Justine.

— Oui, ce sera long pour moi aussi, j'espère que tu pourras venir avant. Justine, je voulais te dire merci.

— Pourquoi me dire merci?

— Merci d'être là, de me soutenir, d'avoir fait en sorte que je puisse partir, je sais que je ne suis pas toujours «évident», avec mes questionnements. Je veux toujours me dépasser, avancer, ça ne doit pas être facile de m'avoir comme mari. En tout cas, moi, je ne m'endurerais pas! fait-il en souriant.

— Tu es chanceux d'être tombé sur une galeriste, je comprends les peintres et toutes leurs questions existentielles. Vous êtes des créateurs, et je respecte ça, répond Justine. Ce n'est pas ça, le problème. Le problème, c'est juste que j'en ai épousé un!

Zib la regarde de ses yeux rieurs, puis il dit:

— J'ai hâte de rencontrer tous les grands peintres d'aujourd'hui, de faire partie d'un groupe d'avant-garde, de discuter, c'est ça qu'on n'a pas ici. Ah! Paris! La ville de l'art, des grands artistes, Picasso, Braque, Gauguin, Modigliani! Il me semble que le fait de m'imprégner de tous ces grands peintres du passé va m'inspirer comme jamais! Et cet atelier que j'ai loué me fera revivre l'époque du Bateau-Lavoir! Tu imagines, il n'y a que des artistes là-bas, on va pouvoir échanger, je suis certain que je vais apprendre plein de nouvelles techniques, et ça va m'aider à atteindre un autre niveau dans ma peinture.

— Je sais que c'est important pour toi et que tu as une chance unique de t'intégrer dans ce groupe, fait Justine. C'est OK avec moi.

— En t'attendant, je vais préparer la place chez Zoé, on sera bien, tu verras, elle n'est presque jamais là de toute façon, occupée à voyager partout sur la planète pour ses *shootings*.

— J'espère qu'elle n'invitera pas ses amies mannequins dans son appartement!

— Je ne veux pas des amies de ma sœur, j'ai tout ce que je veux avec toi.

— Mais moi, je n'y serai pas, laisse tomber Justine.

Puis elle se colle tout contre son amoureux alors qu'il caresse ses cheveux.

— Chérie, je dois y aller maintenant.

Justine ne peut retenir ses larmes.

— Chérie… fait Zib.

— Ça va, l'assure Justine, ça va, vas-y, ce n'est rien…

— Je t'appelle dès que j'arrive! Promis!

— Oui, répond Justine.

— Je t'aime, dit-il encore, en lui donnant un dernier baiser.

Puis il saisit la poignée de son bagage de cabine, se dirige vers le contrôle suivant. Justine le regarde remettre son passeport à l'agent, qui lui fait bientôt signe de passer. Zib se retourne encore, Justine a un mouchoir sous le nez et lui tend la main. De sa main, il lui envoie un baiser et disparaît de sa vue derrière les grands panneaux.

Le cœur en morceaux, Justine prend le chemin du retour. Elle croise le regard compatissant d'une femme. Est-ce qu'elle vient de quitter, elle aussi, un amoureux? Un parent? Un frère? Ou peut-être qu'au fond elle est seulement triste de voir une autre femme pleurer le départ de son amoureux…

22

Souvenir d'une nuit torride !

S arah s'apprête à entrer dans son bureau lorsqu'elle entend Elliot derrière elle :

— Bon matin !

— Bon matin, répond-elle d'un ton qu'elle veut léger.

La vérité, c'est qu'elle a passé tout le week-end à penser à lui en empaquetant ses affaires en vue du déménagement.

— Et mon déménageur ? demande Elliot.

— Ah ! Oui, le moins cher ! s'exclame Sarah, qui était plutôt occupée à scruter des signes de fatigue chez Elliot, des yeux pochés, ou autres, pour avoir une petite idée du week-end qu'il a passé.

Hum… pas trop amoché, l'ex-coincé ! Ça n'a pas dû aller trop fort, il a l'air frais comme une rose ! La belle a-t-elle fait des caprices au restaurant-qui-coûte-la-peau-des-fesses, peut-être justement qu'elle n'a pas voulu les montrer, ses fesses, et qu'ils se sont chicanés ?

Cependant, Sarah constate qu'Elliot semble en pleine forme et est toujours aussi gentil avec elle. Elle se sent déjà un peu mieux. Cette histoire de New York ne lui plaît pas du tout et même si elle affiche un air désinvolte, c'est loin d'être le cas au-dedans!

— Je vous l'ai dit! lance Elliot joyeusement, demandez-le-moi lorsque vous avez besoin de quelque chose, vous pouvez toujours vous fier à moi. N'importe quand, et pour n'importe quoi!

Ces paroles sont réconfortantes pour Sarah, elle qui est si seule pour affronter l'avenir. Mais son cœur n'est pas dupe de son apparent détachement puisqu'il bat à tout rompre.

— Beau week-end à New York? ne peut-elle s'empêcher de lui demander.

— Ah! Magnifique! Mais… fait Elliot tout bas, comment savez-vous que je suis allé à New York?

— Euh… c'est que… vous passiez, bafouille Sarah, oui, vous passiez dans le corridor et j'ai entendu «New York».

Puis Elliot éclate de son grand rire.

— Ah! Une chance, j'ai pensé que vous écoutiez aux portes!

— Quelle idée! s'exclame Sarah, faussement offusquée.

Elliot s'approche de Sarah, lui chuchote à l'oreille en la tutoyant tout à coup:

— Tu ne serais pas jalouse par hasard?

— Qu'est-ce que tu vas penser?

— C'est le cadeau de fête que j'offre à ma mère chaque année, elle raffole de New York!

— Et des bons restaurants, laisse échapper Sarah en se rapprochant un peu de lui pour se faire entendre.

Elle est maintenant à quelques centimètres de lui. Il la regarde et fait un mouvement à peine perceptible vers elle. Un nœud se forme dans l'estomac de Sarah tandis que des milliers de papillons volent de toutes leurs ailes.

Noooooooooon!

Les yeux plongés dans ceux de Sarah, Elliot ne sait plus comment lui résister. Il est trop près d'elle. Il connaît le danger qui les menace tous les deux, mais il est incapable de se détacher. L'attirance qu'il a pour elle est si forte qu'il en perd ses moyens. Il n'arrive pas à endiguer le flot de sentiments qui l'assaille lorsqu'il est en sa présence. Tout converge vers un seul point : c'est elle qu'il aime, et il n'en veut aucune autre.

Malgré les interdits.

Malgré son ex et le pouvoir qu'elle détient sur lui.

Elliot touche le bras de Sarah, puis descend pour prendre sa main dans la sienne. Sarah se liquéfie tout entière. Un vertige s'empare d'elle, ses jambes deviennent flageolantes. Elle ne peut, elle non plus, combattre ce sentiment.

« Pardonne-lui donc, entend-elle dire sa mère, pardonne-lui donc… »

D'un mouvement léger, comme s'il l'entraînait dans une danse, Elliot attire Sarah derrière la porte de son bureau et l'embrasse comme un fou.

Un fou d'amour.

23

Deuxième clin d'œil au tome 1

De retour de son jogging avec ses deux danois, Justine constate que sa porte est déverrouillée. Elle ouvre, demande :

— Il y a quelqu'un ?

— Oui, je suis ici avec Wilson, répond sa mère depuis la cuisine.

Justine, étonnée, fait son entrée dans la cuisine au moment où le petit chien bondit pour attraper un morceau de poulet que lui présente Élisabeth.

— Tu es toute trempée ! constate sa mère en la voyant, avec une légère moue de dédain.

— C'est sûr, je suis allée faire mon jogging, dit Justine. Donne-moi une minute, je saute dans la douche et je reviens tout de suite.

Une fois lavée, Justine retourne à la cuisine, vêtue d'un peignoir blanc de ratine et les cheveux enroulés dans une serviette. Dès qu'Élisabeth la voit apparaître, elle dit sur un ton presque accusateur :

— Vous ne vous entendiez pas au lit, c'est ça ?

C'est pas vrai, elle ne va pas recommencer avec ça !

— Mais oui, maman, très bien !

Depuis que Zib est parti, Élisabeth a recommencé à se pointer chez sa fille de façon impromptue. Elle lui apporte des petits plats, qui lui font toujours plaisir, mais comme Justine se passerait des réflexions de sa mère !

— Parce qu'un homme qui n'a pas de sexe, décrète Élisabeth, ira en chercher ailleurs, tu devrais savoir ça, Justine, t'as pas quinze ans !

— J'ai pas quinze ans, maman, mais je sais qu'un homme est aussi capable d'attendre, voyons…

— N'empêche ! T'aurais pas dû accepter ça ! Paris, c'est la ville de l'amour ! Il y a plein de prostituées là-bas…

— Maman, voyons donc ! Zib n'est pas le genre à aller voir des prostituées !

— Bien là, où crois-tu qu'il va aller chercher SON sexe ?

Coudonc ! Qu'est-ce que j'ai fait pour avoir une mère pareille ?

— Bien, quand on va se voir, évidemment !

— Dis-moi alors, quand tu es partie en voyage de noces, tu faisais l'amour combien de fois par jour ?

— Bien… je ne sais pas, environ deux fois.

— Bon bien, fais le calcul, tu es partie un mois, ça fait soixante-deux fois, où crois-tu qu'il va aller les chercher, ces fois-là ?

— Bien, maman… ce n'est pas la même chose ! On était en voyage de noces !

— Divise par deux d'abord, compte Justine, compte ! Compte !

— Ah, maman…

— Il en reste encore trente et une fois ! On laisse pas un homme tout seul, surtout un artiste ! déclare Élisabeth. T'as étudié en histoire de l'art, tu devrais savoir ça, Picasso puis toute sa gang, ils couchaient avec tous leurs modèles au Bateau-Lavoir! C'était un vrai bordel!

Bateau-Lavoir!

Même si Justine fait confiance à Zib et qu'elle trouve sa mère délirante ce matin-là, le fait qu'Élisabeth ait pensé au Bateau-Lavoir, tout comme Zib, la secoue un peu.

— Bien, c'est ça, tu vois, t'es bouche bée. Oui, la période bleue de Picasso, c'est toi qui vas la vivre parce que tu auras les bleus, justement, puis pendant ce temps-là, la période rose, bien il va l'avoir avec les filles faciles de Paris!

Justine ne trouve plus rien à répondre à sa mère, qui mélange tout pour en faire un salmigondis d'affirmations toutes plus inusitées les unes que les autres. Le nez relevé, le sourcil haut, sa mère la toise en attendant une réponse. Justine hoche la tête silencieusement de droite à gauche.

Oui, je suis bouche bée, maman...

— Ne me regarde pas comme ça, avec ton air des grands opéras de Venise! Tu es déjà allée à Paris, tu connais Pigalle, la Porte-Saint-Denis, tu vois que je n'invente rien, il y en a partout, des prostituées, là-bas!

— Maman... ça suffit là, tu exagères tout le temps, c'est pas parce que Zib est à Paris qu'il va aller voir des prostituées, il peut le faire tout autant ici, voyons!

— Non, Justine! C'est pas pareil, ici tu es là pour lui donner son sexe, mais à Paris, il est tout seul!

Calme-toi, calme-toi, tu n'auras jamais le dernier mot avec ta mère de toute façon! se dit Justine, philosophe.

Elle ferme les yeux, inspire longuement.

— Hein? Dis-moi? poursuit sa mère. Les femmes sont folles des artistes, il y en a deux qui se sont suicidées à cause de Picasso! C'est pas rien! Deux! répète-t-elle. Ça, c'est sans compter tous les bébés qu'il a semés partout! Je ne voudrais pas que tu sois malheureuse à cause de Zib et que ça t'arrive à toi aussi!

Qu'il te fasse un bébé et qu'il disparaisse ! Remarque que je dis ça juste pour ton bien, Justine.

Quand est-ce que tu vas arrêter de t'occuper de mon bien, merde !

Justine essaie de conserver son sang-froid, même si elle n'a qu'une envie : envoyer promener sa mère ! Mais pour l'instant, toute son énergie est employée à garder le contrôle d'elle-même, qui n'est pas loin de basculer !

— Mais, maman, je ne suis pas suicidaire ! Et si tu veux que je reste encore ici, change de sujet ! S'il te plaît !

— Bon, c'est ça, chaque fois que ça fait pas ton affaire, tu veux qu'on change de sujet, et j'ai remarqué que ça arrive surtout quand j'ai raison !

Découragée, Justine pousse un long soupir.

— Mais c'est correct ! C'est correct ! Je n'en parle plus ! reprend Élisabeth.

Puis elle tourne la tête de côté, lève une main, l'air de dire qu'elle en a assez et ne veut plus en parler.

Le Bateau-Lavoir, mais où est-ce qu'elle est allée pêcher ça, elle ? Hum… Trois semaines avant d'aller à Paris, c'est bien trop long…

Elle texte à Chloé, Brigitte et Sarah :

« Les filles, croyez-vous que je devrais aller à Paris avant trois semaines ? »

« Oui, oui, oui ! » répondent aussitôt les amies.

Bien coudonc, c'est peut-être ma mère qui a raison après tout !

24

Bang !

Après une rude épreuve à la cour, présidée par le juge Mongrain – celui devant lequel aucun avocat ne veut plaider, quitte à faire reporter leurs causes –, Chloé sort de la salle, puis entre dans l'ascenseur. Plongée dans ses pensées, elle revoit sa plaidoirie, se félicite de sa performance. Tirant sa grosse mallette sur roulette, sur laquelle une boîte remplie de documents est retenue par un large élastique, elle pousse de l'épaule les grandes portes du palais, emprunte la passerelle des handicapés, vérifie qu'il n'y a pas d'autos, franchit la rue en diagonale sans se soucier de l'intersection où elle devrait traverser.

Une fois montée dans sa voiture, elle entend le bruit de texto qui lui parvient de son téléphone. Elle regarde le message.

Bon, Sébastien encore…

« Ma traite, souper samedi soir ? Un gars a toujours besoin d'une deuxième chance ! »

Ah bien! Le maudit! Ça fait des mois que je cours après lui, il m'invite finalement à un week-end, puis là, quand je lui dis que c'est fini, il veut qu'on aille souper! Expliquez-moi, quelqu'un, je ne comprends vraiment rien aux hommes et j'en ai plein le dos!

Agacée, elle décide de ne pas répondre et jette son cellulaire dans son sac. Sa carte de crédit en main, elle se dirige vers la guérite pour payer son entrée. Arrivée non loin de la borne de paiement, elle s'apprête à freiner puisqu'une voiture y est déjà. Elle lève le pied de la pédale, mais sa voiture continue sa course, elle tente d'enfoncer le frein aussitôt, l'auto ne ralentit toujours pas. Elle jette un rapide coup d'œil par terre et constate que son tapis est coincé sous la pédale. Elle a beau tirer, elle n'arrive pas à la décoincer. Vite, elle se penche pour attraper le tapis avec sa main. Mais trop tard.

Bang!

Chloé relève la tête pour n'avoir que les yeux qui dépassent du tableau de bord, regarde la voiture devant elle et voit les lettres une à une : P-o-r-s-c-h-e.

Shit! Pas une Porsche!

Un homme en sort, visiblement de mauvaise humeur. Elle constate que le chauffeur est nul autre que Charles.

Pas lui! Les hommes et leur char! Puis en plus, un play-boy! Ils ne sont pas capables de se passer de leur auto, eux autres!

Il va derrière son véhicule, passe la main sur son pare-chocs alors que Chloé ne se résout pas à sortir de sa voiture. Il se tourne bientôt vers la conductrice, ne voit qu'une crinière rousse et deux yeux verts qui l'observent. Il s'approche de la portière. Chloé baisse sa vitre, la mine contrite, et lui dit :

— Je m'excuse.

— Chloé! fait Charles, surpris, bien qu'il affiche encore un air contrarié.

D'ailleurs, il retourne tout de suite à son pare-chocs, en évalue les dégâts. Pendant ce temps, Chloé sort, ne regarde même pas les dommages de sa voiture, se poste à côté de Charles. Il dit :

— Moi qui me faisais une gloire qu'elle n'ait jamais été accidentée…

— Je m'excuse, répète Chloé, d'une voix de petite fille, alors qu'elle relate ce qui s'est passé.

— Mouais, c'est vraiment stupide, ça…

— Viens-tu juste de me traiter de stupide ? demande Chloé, offusquée.

— Non, pas toi, voyons, la situation. Je sais que ce n'est pas de ta faute.

Chloé enfouit les mains dans ses poches tandis qu'un conducteur klaxonne derrière pour qu'ils libèrent la voie. Les beaux yeux de velours de Charles ne lui disent rien de mauvais.

— Tu veux qu'on remplisse un constat ? demande Chloé.

— Oui, reculons tous les deux, on fera ça tranquillement dans le stationnement.

Charles fait signe au conducteur impatient de reculer.

— Bon, fait-il en passant la main dans ses cheveux couleur ébène, je te suis. Allez ! Et… ajoute-t-il, surtout fais attention de ne pas te mettre en première vitesse !

La mine renfrognée, Chloé le fixe une seconde, plisse les yeux, lui jette un regard, l'air de dire : « Tu me niaises ou quoi ? »

Un macho, c'est sûr…

Enfin, Charles éclate de rire.

Ouf !

— Tu ne t'es pas vu la face, dit-il.

— Non, fait Chloé, je ne traîne pas de miroir pour me voir la face, surtout pas quand on rit de moi !

— Ne le prends pas comme ça, c'est une *joke* de gars.

— Oui, mais t'as pas remarqué que c'est à une fille que tu la dis, ta *joke* ?

Un macho + play-boy = la flush !

Chloé recule sa voiture, se gare, bientôt suivie de Charles qui cherche maintenant dans son coffre à gants un constat à l'amiable. Finalement, le formulaire en main, il s'approche de sa voiture, lui fait signe de baisser sa vitre.

— Dis donc, ce constat, ça te dit qu'on aille le remplir devant un café, il y en a un juste à côté, sur Saint-Jacques, tu sais, face à la porte du palais ?

— Oui, je connais, mais…

— C'est ta première punition, déclare-t-il.

— Et la deuxième ? demande Chloé.

— Tu acceptes de souper avec moi samedi soir.

— C'est que…

— Après un accident comme ça, tu as besoin d'un bon avocat pour te défendre, et comme tu sais, un avocat ne devrait jamais se représenter lui-même. Si tu veux, je te signe un mandat tout de suite, je vais te faire un bon prix, tu verras.

Chloé pouffe de rire.

25

Vente-débarras

Chloé arrive chez Sarah, la voiture remplie de ballons multicolores soufflés à l'hélium. Quand c'est le temps de s'entraider entre copines, il n'y a pas mieux que les membres du quatuor ! Pour mousser un peu les ventes, Chloé, qui a toujours plus d'un tour dans son sac, a apporté des déguisements pour toutes les filles.

Empêtrée dans ses ballons, un grand fourre-tout sur une épaule et, sur l'autre, son sac à main duquel sort la minuscule tête du petit Rambo, elle sonne à la porte. Partout où elle va et où elle peut, Chloé traîne son chien avec elle. Il est si mignon ! Dès qu'il voit que Chloé s'apprête à partir, il va se chercher un os, le dépose dans le sac à main de sa maîtresse – faisant ses bagages, lui aussi, pour la journée –, et enfin, il se taille une place et pose son petit derrière parmi brosse, maquillage, stylos, enveloppes, etc. Mais parfois, Chloé doit le laisser à la maison, et c'est à grand-peine qu'elle l'extirpe de son sac à main. Quand elle n'oublie pas l'os dans le fond de son sac pour le retrouver ensuite tout collant!

— Chloé! Ça, c'est bien toi! Mais entre! dit Sarah, alors que Brigitte et Justine l'aident à se débarrasser de ses sacs.

Léa et Camille viennent voir Chloé aussitôt qu'elles entendent sa voix.

— Ah! Mes belles puces! s'exclame-t-elle en embrassant les petites avec effusion, regardez ce que j'ai pour vous! ajoute-t-elle en sortant Rambo de son sac.

— Il est trop *cute*, disent les fillettes. On peut l'emmener dans notre chambre? demande Léa.

— Bien sûr, fait Chloé, je vous fais confiance. Ne le laissez pas sans surveillance, si vous ne le gardez pas avec vous, vous me le ramenez, promis?

— Promis, font les jumelles, qui repartent aussitôt avec le petit Rambo dans leur chambre.

Enfin, Chloé farfouille dans son grand sac, en sort toutes sortes de costumes. Elle s'exclame:

— Vous allez voir ce que je vous ai apporté! Avec mes déguisements, on va les vendre vite, ces affaires-là, fiez-vous à moi!

— T'es folle! dit Sarah en riant.

— J'ai une infirmière, une avocate, un agent de bord et une femme d'affaires! précise Chloé en sortant ses accoutrements.

Les filles pouffent de rire en s'arrachant les costumes des mains, et déjà font voler leurs vêtements pour les essayer.

— Moi, je prends l'avocate! déclare Justine.

— C'est moi, l'avocate! objecte Chloé.

— Bien, pas aujourd'hui! Toi, tu ferais une belle infirmière!

— Et moi, dit Sarah, qui a déjà revêtu la petite jupe noire et le veston de la femme d'affaires, qu'en pensez-vous?

En disant ces mots, Sarah met de grosses lunettes noires sans verres, touche la branche du bout des doigts et fait la moue devant ses amies, qui s'amusent comme des folles, s'échangeant les costumes à qui mieux mieux. Une fois les essayages terminés, elles s'esclaffent en constatant que tous les costumes ont été intervertis, la jupe de l'un se retrouvant avec le veston d'un autre.

— C'est moi qui ai la jupe de l'agent de bord! dit Chloé.

— Bien non, tu ne l'as pas du tout, c'est la jupe de la femme d'affaires!

Et c'est bientôt la cacophonie pendant que jupes, vestons et tabliers passent de nouveau de main en main.

Elles s'obstinent un temps et, finalement, le sort en est jeté: Chloé sera l'agent de bord, Sarah deviendra la femme d'affaires, Brigitte, l'avocate, alors que Justine sera l'infirmière. Ensuite, elles disposent les affaires que Sarah a triées pour être vendues dans l'entrée de garage, installent des affiches au coin de la rue. Puis, elles s'affalent dans leur chaise, attendant leur premier client. La journée est belle, les filles sont de bonne humeur, un beau week-end s'annonce.

— Wow, fait Chloé en voyant arriver le premier client, une Jaguar! On va le plumer, celui-là!

Sarah dit:

— Une Jaguar? Qu'est-ce qu'un couple en Jaguar peut bien acheter dans une vente de garage?

Sarah aura bientôt sa réponse.

Un homme d'une soixantaine d'années, cheveux poivre et sel, qui a l'air du parfait dandy avec son port altier, sort de la voiture, va du côté passager et ouvre la portière. Une dame en sort:

— Ah bien! C'est pas vrai! s'exclame Sarah.

— Quoi? Quoi? Quoi? font les filles.

— Ma mère! laisse tomber leur amie, la mâchoire décrochée.

Les femmes écartent les yeux à leur tour.

— Une *couguar* dans une Jaguar ! Pas si mal ! dit Chloé.

— Mais on dirait plutôt que la *couguar* a rangé ses griffes, dit Sarah en se levant pour aller au-devant de sa mère, aussitôt suivie des amies.

— Sarah, je te présente Fabien, déclare Annie.

— Je suis enchanté de faire votre connaissance, répond-il en tendant la main.

— Moi aussi, fait Sarah, estomaquée.

Bien coudonc, elle va toujours me surprendre, celle-là !

Annie jette un coup d'œil complice vers sa fille et la gratifie d'un petit sourire en coin.

Les amies embrassent la mère de Sarah. C'est le branle-bas lorsque les nouveaux arrivés émettent leurs commentaires sur les costumes des filles.

Finalement, Annie embrasse Fabien, puis lui dit :

— À cinq heures, chéri ?

— Oui, je passerai te prendre, on ira souper au restaurant, tu seras sûrement fatiguée après ta journée.

— Oui. À tout à l'heure !

Fabien salue toutes les femmes avec un sourire enjôleur alors qu'Annie envoie un baiser de la main vers son amoureux.

— Où est-ce que tu l'as déniché, celui-là ? demande Sarah.

— Bien, sur un site de rencontres, c'est pas difficile, c'est rempli d'hommes ! Au fond, je les aime plus de mon âge, la *couguar*, c'est du passé ! Bon, moi, je vais m'occuper des petites. Bye, les filles ! ajoute Annie en s'engouffrant dans la maison.

Les amies se regardent, Sarah éclate de rire, aussitôt suivie des autres.

Au milieu de l'après-midi, Sarah réalise que tous ses articles pour enfants sont vendus. Elle a un pincement au cœur en pensant à sa vie avec Adam, son avenir plutôt incertain, mais vers lequel elle regarde avec confiance, le nez au vent.

À la fin du week-end, elle se retrouve les poches pleines de billets tant le plan de Chloé s'est avéré lucratif. Ce montant va l'aider grandement puisque, à lui seul, il paiera presque l'entièreté de son déménagement.

— On fête ça ? demande Sarah.

26

Double vie

Lorsque Brigitte rentre chez elle ce soir-là, toute la maison semble endormie. Sur la pointe des pieds, elle monte à l'étage, se rend dans sa chambre. Dans le noir, elle distingue une forme qui se découpe sur le lit.

Il dort, tant mieux...

À tâtons, elle cherche dans son tiroir, palpe les tissus, met la main sur une robe de nuit, l'enfile et, silencieusement, se rend dans la salle de bain pour se démaquiller. Elle n'a pas envie que Jean se réveille. Elle ne veut pas lui parler. Le miroir lui reflète l'image d'une femme fatiguée, amaigrie.

Ça n'a plus de bon sens, je ne peux pas continuer comme ça. Look at you, t'es toute cernée, tu ne dors plus. Une double vie, ce n'est pas une solution, ça...

Elle ferme les yeux un moment alors qu'une envie de pleurer l'envahit. Elle s'assoit sur la toilette, laisse tomber sa tête dans ses mains puis pleure en prenant soin d'étouffer ses sanglots.

Pourtant, ce rendez-vous avec Christian s'est très bien passé.

Il lui a encore fait l'amour comme un fou. Encore plus fougueusement que d'habitude même, tant la peur de la perdre a été grande. Brigitte a abandonné l'idée de le questionner davantage, même si elle n'a pas eu une réponse nette. Au fond d'elle-même, elle la connaît, cette réponse, mais elle ne tient pas tant que ça à l'admettre. Du moins, pas aussi clairement. Puis finalement, elle doit se rendre à l'évidence : l'avoir comme maîtresse fait bien l'affaire de Christian.

Il ne veut rien de plus.

Elle se lève, fait couler l'eau du robinet, s'en asperge le visage, se démaquille. Elle revient dans la chambre sans faire de bruit, et furtivement, se glisse sous les draps, le plus loin possible de son mari, lui offrant son dos.

Brigitte ferme les yeux, contente de ne pas avoir à affronter Jean, à lui parler, alors qu'elle sort des bras de Christian et de ses ardentes étreintes.

— T'as eu une belle soirée ? demande tout à coup Jean dans le noir.

— Je te croyais endormi, répond Brigitte.

— Alors, cette soirée ? demande encore Jean.

— Ah ! On s'est bien amusées, *as always*, fait Brigitte, pendant que son cœur bat à tout rompre dans sa poitrine.

Gosh ! Est-ce qu'il sait quelque chose ?

— Où êtes-vous allées souper ?

— Chez Justine, son mari est parti à Paris, et elle nous a invitées.

— Qu'est-ce que vous avez mangé ?

Ça y est, il sait ! Sans quoi il ne me poserait pas toutes ces questions !

Brigitte, les yeux grands ouverts, suspend sa respiration. Toute la chambre baigne dans un silence de plomb.

— Bien… du poulet, répond-elle, mais pourquoi toutes ces questions ?

Brigitte se retourne, scrute la nuit. Jean n'a pas bougé. Elle distingue ses épaules, il lui fait dos. Sa voix lui parvient de nouveau :

— J'ai pas le droit de te poser des questions ? Il me semble que tu sors pas mal souvent ces temps-ci…

Soudainement, Brigitte a envie de tout lui dire, de s'excuser, de se jeter à ses pieds, de lui demander pardon. Elle s'en veut, se sent trop coupable. Mais au lieu de ça, elle fait une nouvelle tentative de rapprochement. Et si, contre toute attente, elle retrouvait l'homme de ses vingt ans, celui qu'elle a aimé profondément ? Celui qu'elle tente désespérément de ressusciter sous les traits de cet homme un peu empâté, qui a perdu ses rêves de jeunesse, cet homme sérieux, assis devant la télé la plupart du temps, qui ne la fait plus rire, qui ne l'allume plus. Elle demande d'une toute petite voix :

— Trouves-tu que ça va bien, notre couple ?

Jean lève la tête, regarde l'heure et dit :

— Il est onze heures et demie, tu parles d'une heure pour me poser une question pareille !

— J'ai besoin de savoir. Dis-moi, qu'est-ce que tu penses de notre relation ?

— Bien, ça va pas plus mal que les autres couples, grommelle Jean.

— Quelle réponse ! Jean… Il faut qu'on parle. Ça fait je ne sais pas combien de temps que je t'envoie des signaux, que je veux qu'on sorte juste tous les deux, t'es toujours assis devant ta télé, ou tu prends tes week-ends pour jouer au golf, quand c'est pas ton racquetball. On ne fait vraiment rien ensemble, ça ne peut plus durer comme ça !

— T'aimes pas ça, le golf, fait Jean, laconique.

— Oui, c'est vrai, puis le racquetball non plus, puis les sports non plus. Mais il y a un tas d'autres choses qu'on peut faire ensemble. On peut marcher, aller au théâtre, par exemple…

— Je n'aime pas ça, moi, marcher, répond Jean.

— Peut-être, mais est-ce qu'on peut s'asseoir, réfléchir à une activité que nous pourrions faire en commun ? Je veux un mari à moi, avec qui je peux discuter, aller au restaurant, voir des expositions, un homme qui m'embrasse en rentrant à la maison le soir au lieu d'ouvrir la télé. Puis ça, je ne l'ai pas !

— Qu'est-ce que tu veux que je fasse ? C'est pas ma faute si tu n'es pas sportive ! Je ne peux pas passer mon temps à te regarder dans les yeux ! Ça fait quinze ans qu'on est ensemble !

— Justement ! Quinze ans ! Il me semble que ça compte, ça. Je t'ai toujours demandé qu'on parte juste toi et moi ensemble, tu ne veux jamais, on est toujours avec les enfants, on n'a pas de vie de couple, c'est pas compliqué !

— Ah ! Je travaille demain matin, moi, marmonne Jean. On ne peut pas parler de ça une autre fois ?

— Chaque fois que je te demande de discuter de nous deux, tu me dis « une autre fois ». Jean, je te le dis, j'en peux plus de vivre comme ça…

— Bien là, qu'est-ce que tu veux que je te dise ? Qu'on va aller en vacances ensemble ? Qu'on va aller au cinéma ? Quoi ? Dis-le puis laisse-moi dormir, je me lève à six heures demain !

Brigitte se tourne sur le côté alors que de ses yeux s'échappent des larmes refoulées depuis longtemps.

Depuis trop longtemps.

— Puis ? J'attends ! insiste Jean.

— Laisse faire, laisse faire… répond Brigitte.

— Bon, tout ça pour rien ! Puis là, je m'endors plus ! Vous êtes donc compliquées, vous, les femmes !

27

Rien ne va plus…

Au petit matin, seule, après le départ de Jean et des enfants, Brigitte est assise devant son cellulaire, une cigarette aux lèvres. Cas de force majeure. Elle ne fume jamais dans le condo, mais ce jour-là, elle tend une dernière perche à Christian.

Oui, elle s'apprête à lui écrire un texto. Qui sera peut-être le dernier. Elle prend une bouffée de sa cigarette, puis exhale la fumée en striant l'air d'un long trait. Elle regarde par la fenêtre de la cuisine, pense à la formulation qu'elle pourrait employer.

Comment rompre avec son amant en cent quarante caractères, hum…

Enfin, elle écrit :

« Christian, j'en ai assez, je n'en peux plus. Restons-en là, tu veux juste coucher avec moi… »

Non, pas « tu veux juste coucher avec moi »…

« Restons-en là, tu ne m'offres pas ce que je veux. Baiser avec toi a été une expérience très… »

Stupid you, come on…

« Tu m'as fait jouir comme aucun homme et bien que le sexe avec toi soit extraordinaire… »

Holy shit ! Brigitte ! Il va penser qu'il est le superman de la baise et que tu ne peux plus te passer de lui !

Brigitte efface sa dernière phrase, écrase sa cigarette dans le cendrier, relit son texto, enfin ce qu'il en reste après les réécritures :

« Christian, j'en ai assez, je n'en peux plus. Restons-en là, tu ne m'offres pas ce que je veux. »

That's it !

Elle pèse sur la touche « Envoyer ».

Voilà, ça dit l'essentiel, il comprendra. Quand on étire la sauce, ça perd de sa clarté.

* * *

— Regardez, les *girls*, ce que j'ai reçu à la suite de mon texto ! s'écrie Brigitte, en désignant une belle boîte enrubannée de rouge.

Les filles sont ensemble chez Chloé, qui leur a concocté un souper digne d'un grand chef, comme à son habitude. Si la décoration du condo de Chloé n'est toujours pas terminée, on peut dire que sa cuisine est bien équipée.

— Montre ! font les amies toutes à la fois, le cou étiré et les yeux rivés sur la boîte.

Brigitte défait le papier de soie et, les yeux agrandis par la surprise, elle exhibe un déshabillé ultra sexy, noir, transparent, avec un soutien-gorge et une petite culotte tanga assortie, garnie de fine dentelle.

— Hum ! J'avoue qu'il a du goût, ce mec ! Mais c'est pas un génie quand il s'agit de comprendre une femme, fait remarquer Justine.

— Non, c'est pas fort ! renchérit Chloé.

— Tu me le prêtes pour aller à Paris ? Il me semble que Zib ne pourra pas m'oublier entre nos allers-retours, ça va l'aider à tenir un bout, ajoute Justine en riant.

— Ça va pocher de partout avec tes petits seins, toi ! T'auras besoin d'une chirurgie pour le remplir, ce soutien-gorge ! Il n'y a pas de bourrure là-dedans, ma belle. Le gel, je l'ai déjà dans mon corps !

— C'est vrai que j'ai pas grand-chose de ce côté, admet Justine en mettant ses deux mains sur ses seins. Et si je m'en faisais faire une, chirurgie, moi aussi, vous pensez que ça lui plairait, à Zib ? Imaginez, je ne dis pas un mot, j'arrive à Paris avec deux beaux seins tout neufs !

— Bien non, Zib t'aime pour toi, pas pour tes seins. Et puis, s'il s'intéressait juste aux poitrines, ça ne vaudrait pas la peine d'être avec lui ! tranche Chloé.

— Regardez qui parle, fait Justine, on sait bien, toi, tu as ça tout naturel !

— Ha, ha, ha ! entend-on de part et d'autre.

— Il y a des hommes à seins et des hommes à fesses, ajoute Sarah.

— On dit aussi qu'il y a des *leg men* ou des *breast men*, renchérit Brigitte.

— En tout cas, moi, je ne suis pas chanceuse, je n'ai ni seins ni fesses, se désole Justine.

— Les hommes ! s'exclame Brigitte, découragée, ça pense juste à ça, le *body*, le *body* et le *body* ! Eux, c'est pas les trois C, qu'ils cherchent, c'est les trois B !

— As-tu été assez claire ? demande Sarah. Il me semble impossible qu'il ait répondu par un déshabillé !

— Plus claire que ça, tu meurs ! Je lui ai dit que j'en avais assez, qu'on en resterait là parce qu'il ne me donne pas ce que je veux. C'est pas clair, ça ?

— Oui, c'est clair, pour une femme en tout cas, conviennent les filles.

— Et ce n'est pas tout, reprend Brigitte, regardez la petite carte !

Les filles se penchent pour lire :

« Chambre 1201, mercredi 19 h, Reine-Elizabeth. »

— *Oh boy !* Il pense que c'est ça, t'offrir ce que tu veux ? Il y a loin de la coupe aux lèvres, ou de la soupe

aux lièvres, comme dirait Jean Perron, ne peut s'empêcher de dire Justine.

— Qu'est-ce que tu vas répondre ? demande Sarah.

— Rien, qu'est-ce qu'on répond à ça ? S'il n'a pas
compris, il ne comprendra jamais. Moi, je démis-
sionne. Non, c'est fini, cette histoire, de toute façon,
je trouve que c'est trop difficile de mener deux vies en
parallèle comme ça.

— Et Jean, comment ça va avec lui ? demande
Sarah.

— Ah ! Ça ne va pas fort, non plus. Il va falloir
qu'il se passe quelque chose de ce côté aussi. Je lui
envoie des messages, mais il n'a pas plus l'air de me
comprendre que mon amant. Ou bien ils sont bouchés
ou bien je ne suis pas claire. Quoi qu'il en soit, Christian m'aura au moins servi à une chose : il m'aura fait
réaliser à quel point ça ne va pas tellement bien avec
Jean, déclare tristement Brigitte.

— Les hommes ont souvent besoin d'un dessin
pour comprendre notre langage ! dit Sarah.

— J'ai une idée ! lance Chloé, en faisant un clin
d'œil à Brigitte.

— Qu'est-ce que tu vas me sortir encore, toi ! fait
Brigitte, en levant les yeux au ciel, alors que Sarah
et Justine sourient, curieuses de découvrir ce qui se
trame dans la belle tête rousse de Chloé.

— Bon, commence-t-elle, il paraît que les hommes
aiment les *bitches*, on pourrait tester ça sur ton Christian et voir si c'est vrai, non ? Je parie dix dollars qu'il
va aimer ça !

— Bien… ça vaut peut-être le coup d'essayer…
reconnaît Brigitte.

Cette dernière parie que non, suivie de Sarah et
Justine.

— Trois contre une, donc ! s'exclame Chloé. Il faut
que tu sois sûre, Brigitte, parce que là, avec le plan que
j'ai dans la tête, je ne suis pas certaine que le gars va te
rappeler ! Enfin, tout dépend de la prémisse !

Brigitte fronce les sourcils, prend quelques secondes pour réfléchir. Ses amies sont suspendues à ses lèvres dans l'attente de sa réponse.

— Au fond, pour ce que j'ai à perdre ! dit enfin Brigitte. J'embarque !

Oh boy ! Le pauvre Christian !

Tel Obélix, il vient de tomber tout entier dans la marmite de la potion magique du quatuor de filles, ou les druidesses de l'amour, c'est selon.

28

Pardonner

Après avoir encaissé tous les coups que le destin lui a assénés, Sarah rêve désormais d'une existence plus calme, sans grands chamboulements, comme ceux qu'elle a vécus depuis deux ans. Malgré toutes les épreuves qu'elle a surmontées, elle continue à aller de l'avant et est déterminée à avoir une vie meilleure. Bon nombre de ses affaires étant empaquetées et prêtes à être emportées par le déménageur, elle pourra s'installer dans son nouvel appartement dans deux semaines.

Au moins, de ce côté, tout va pour le mieux, si l'on considère ainsi le fait de troquer une maison à Westmount contre un appart en ville, évidemment…

Pour faire peau neuve et se glisser dans sa nouvelle vie, Sarah a décidé de laisser pousser ses cheveux et, au lieu de sa longue frange, elle a opté pour une plus petite qu'elle balaie sur le côté ; ce qui lui va à ravir. Elle passe ses fins de semaine en jeans et en t-shirt, alors qu'elle était auparavant toujours impeccablement mise dans ses vêtements griffés et coûteux. Pour aller travailler, elle a adopté un style plus désinvolte, sexy – au grand bonheur d'Elliot, il va sans dire.

D'ailleurs, depuis le baiser volé derrière la porte, ce dernier a renouvelé l'expérience, à quelques endroits, choisis uniquement par lui, à travers le bureau. Il est plein de ressources lorsqu'il s'agit d'embrasser Sarah en catimini. C'est comme une course au trésor où il sème des indices un peu partout, une note énigmatique laissée sur son bureau, un rendez-vous caché pour le lunch, un texto, mais parfois, ce n'est qu'en passant la tête dans l'embrasure de la porte de son bureau pour chuchoter l'endroit, l'heure, tout y passe ! Le signal est souvent donné par le départ de Natasha-la-vautour puisque, pour voler un baiser, une caresse, ils doivent jouer à cache-cache.

Jouer avec le feu serait plus exact.

Ainsi, aux yeux de Sarah, Elliot représente de nouveau « le chic, le chèque et le choc », bien qu'il ait déjà fait partie de la catégorie « l'amour avec la mauvaise personne ».

Ça arrive aussi.

Dit-on.

C'est avec le sourire que Sarah se rend désormais au bureau, en imaginant quel tour Elliot lui jouera pour pimenter ses journées. Elle est à l'affût de tous les petits signes. L'orage menace pourtant toujours au-dessus de sa tête, et l'amoureuse qui a retrouvé son amoureux n'est donc pas arrivée au bout de ses peines…

Ça, elle ne le sait pas encore. Ou refuse de l'envisager.

Alors que Sarah règle les détails de son gros contrat avec la lunetterie, Natasha entre dans son bureau, une épaisse chemise à la main.

— Vous regarderez ce dossier, si vous voulez vous inspirer, ça va vous aider.

— Euh… c'est que…

— Qu'est-ce qu'il y a encore? s'impatiente Natasha.

— C'est que… répète Sarah.

Mais son téléphone, laissé sur son bureau, juste sous les yeux de Natasha, annonce un bruit de texto. Sarah jette un coup d'œil distrait.

Merde, Elliot!

Vite, elle prend son téléphone, le fourre dans son sac.

— Pourquoi cacher votre téléphone comme ça? demande aussitôt Natasha, suspicieuse comme toujours.

— Je ne le cache pas, se défend Sarah.

— Vous aviez l'air de vous dépêcher pour que je ne voie pas.

Quand on est pris, mieux vaut attaquer!

— Je sais que ce n'est pas de mes affaires, dit-elle, mais… vous avez de la poudre blanche sur le nez.

Ce qui est vrai et ce qu'elle s'apprêtait à lui dire de toute façon. Natasha écarquille ses yeux en forme de demi-lune, prend un air offusqué alors qu'elle passe une main nerveuse sur son nez refait et sort du bureau sans dire un mot.

Pas possible, celle-là! Elle aurait pu me remercier, tout de même!

Sarah a un petit sourire amusé, mais reprend aussitôt son téléphone. Elle lit:

«Salle de photocopies, dans deux minutes.»

Son petit miroir de poche en mains, elle rectifie son maquillage puis se dirige allègrement, le dossier remis par Natasha sous le bras, vers le photocopieur.

À peine arrivée, Sarah est entraînée à l'intérieur par Elliot, qui verrouille la porte.

— Tu es fou, dit-elle en se jetant dans ses bras.

— Fou de toi, oui, murmure Elliot.

— Mais si quelqu'un arrive, qu'est-ce qu'on va faire?

— Je m'en occupe, toi, embrasse-moi!

Sarah rit doucement et l'embrasse passionnément.

— C'est si bon… dit-elle.

Au bout de quelques minutes de langoureux baisers, ils entendent le bruit de la poignée.

— Quelqu'un! chuchote Sarah, inquiète.

— On a encore trente secondes, fait Elliot, qui embrasse à nouveau Sarah.

— Trente secondes?

— Oui, le temps qu'il aille à la réception chercher la clef et qu'il revienne.

— Alors, la prochaine fois, ce sera à mon tour de donner un rendez-vous. Que dirais-tu de reprendre les choses où on les avait laissées dans les toilettes après le mariage de Justine?

— Bien… est-ce que c'est ce que je pense?

Sarah regarde Elliot avec un petit sourire évocateur.

— C'est à prendre ou à laisser, laisse-t-elle tomber.

29

Sans commentaires !

— *Oh yessssss !* dit Elliot, en déverrouillant la porte
pour laisser passer Sarah.

30

Trois C ou trois trous de C ?

Dans un restaurant de l'Île-des-Sœurs, Chloé est assise seule à une table pour la deuxième soirée consécutive. Enfin, avec son petit Rambo caché dans son sac, qui est installé bien confortablement sur la chaise près d'elle. Plutôt que de choisir la vue sur le fleuve Saint-Laurent, comme tout le monde, elle opte encore pour une table avec vue sur les condos en face. Comme la veille. Et comme « par un curieux hasard », le restaurant se trouve juste devant le condo de Charles.

Hum…

Chloé tend l'oreille d'un bord alors que son regard est rivé sur la fenêtre de l'autre côté de la rue.

La coquine ! Le constat à l'amiable lui a permis de connaître l'adresse de Charles. Puis pour s'amuser, elle est allée faire du repérage sur le terrain. Une ombre passe et repasse devant la fenêtre. Chloé la suit des yeux en sirotant sa bière tandis que ses oreilles sont occupées à écouter la conversation des hommes derrière elle. Ils se tiennent debout devant le bar, séparés d'elle par une petite colonne. Elle peut aisément tout entendre. L'un d'eux dit :

— Je ne veux pas vivre en couple, elles veulent toutes nous mettre en boîte pour se faire faire des bébés !

— Moi, répond l'autre, j'ai déjà donné, je ne veux plus rien savoir. Tu me vois payer une autre pension alimentaire ?

— Oui, c'est vrai que ça t'a coûté pas mal cher, ton divorce ! Combien déjà ?

— Vingt-cinq mille, juste les avocats. Puis là, j'ai la grosse pension à verser, j'ai hâte en ostie que les kids finissent leur université !

— En plus d'avoir été obligé de payer l'avocate de ton ex ! Ça, j'en reviens toujours pas !

— Oui, ça a bien l'air que c'est comme ça que ça marche quand une femme n'a pas les moyens de payer ! Elle était vraiment chiante, cette avocate ! Une Chloé quelque chose. Si je la rencontre, elle, retiens-moi !

L'espèce d'abruti !

Chloé tend l'oreille encore, désormais plus absorbée par la conversation derrière elle que par la fenêtre qu'elle surveille.

— Le problème, dit un troisième, c'est que la loi est faite pour les femmes, c'est toujours elles qui sont avantagées dans les divorces. On paye pour tout finalement. Après ça, les femmes se demandent pourquoi on veut plus s'engager, on n'a plus rien dans les poches, c'est pas compliqué !

— Oui, moi, je n'aurais vraiment pas les moyens de me taper un deuxième divorce, je serais ruiné ! Oublie ça !

— Puis toi, toujours célibataire ?

— Bien oui ! Moi, je n'ai pas de pension, mais ça me donne des boutons, être en couple, je me sens en prison.

— Moi, dit un autre, je lui ai tout donné, à Sylvie, puis elle a fini par me tromper. Pour moi, la vie à deux, c'est fini! Ça ne donne vraiment pas le goût de se remettre en couple!

— Il faut dire que, toi aussi, tu l'avais trompée, non?

— Oui, mais elle ne l'a pas su.

Ah bien! Le minable! Parce qu'elle ne l'a pas su, ça ne compte pas!

— En plus, continue le minable, elle a essayé de me fourrer aussi: avant de se marier, c'était un ange, et après le mariage, je me suis retrouvé avec une sorcière au lieu de la déesse que j'avais épousée.

— C'est arrivé à un de mes chums aussi, ça l'a fait débander vite! Il y en a tellement, de filles, à part ça! Si je m'arrête sur une, qui dit que je suis pas en train d'en manquer une autre qui serait meilleure? Non, moi, j'aime mieux en passer plusieurs, elles ont toujours un petit quelque chose qui les différencie. C'est ça qui est le fun, une a des gros seins, l'autre en a pas, une est drôle, l'autre l'est pas, pourquoi on s'arrêterait sur une seule?

Chloé se retient pour ne pas se lever et aller leur donner une telle claque qu'elle leur dévisserait la tête d'un seul coup.

— Mais tu les rencontres où? poursuit un des trois hommes.

— Sur Facebook, j'en prends sept, une pour chaque jour de la semaine!

— Ha, ha, ha, ha, ha, ha! Ha, ha!…

C'est peut-être à ça que j'ai servi, moi. J'étais celle du mercredi ou du jeudi? Les maudits! Après ça, ils nous disent qu'ils veulent être en couple! Mouais, en couple jusqu'au lendemain matin!

Chloé fulmine et se retient encore plus. Son cellulaire sous les yeux, elle voit encore un texto de Sébastien. Elle tourne la tête, ne le lit même pas. Après ce qu'elle vient d'entendre, l'idée lui passe par la tête que

c'était peut-être ça le problème de son «adulescent»,
qui sait?

— Je blague! dit l'homme en riant.

*Ah! Qu'elle est drôle, celle-là, j'en peux plus de
rire...*

— Non, continue l'homme, j'en prends six ou sept,
puis je roule avec pendant quelques mois, c'est plein
de belles filles!

*Quelle grandeur d'âme! Quelle générosité, il devrait
travailler pour Oxfam!*

— Oui, c'est vrai, je vais essayer ça, j'y avais pas
pensé.

— Peut-être qu'on est trop individualistes?

— Bien non, c'est comme ça aujourd'hui, tout le
monde est pareil, c'est chacun pour soi.

*Là, je comprends pourquoi je tombais toujours sur
des tatas! Pourquoi me gêner pour prendre les spermatozoïdes et foutre le camp avec?*

— Puis c'est sans compter qu'au bureau ils nous
en demandent toujours plus, il faut prouver qu'on
est le meilleur pour ne pas se faire crisser à la porte.
Je fais cinquante heures par semaine quand c'est pas
soixante, me vois-tu passer mes week-ends à faire des
concessions? Ça finirait plus! Je donnerais tout le
temps!

— Puis moi, quand je voulais jouer au golf, c'était
la crise! En plus de mon hockey le vendredi soir que
j'ai dû arrêter! Les filles, c'est exigeant, ça veut décorer,
magasiner, aller voir leurs parents, elles veulent toujours qu'on fasse quelque chose en couple!

— T'as raison, il faut profiter de notre liberté, puis
s'aérer l'esprit un peu les week-ends, sans ça on va
devenir fous!

Fous? C'est déjà fait!

— Une fois que tu les épouses, t'es complètement
fini et à leur merci!

*Bon, c'est ça, merci les boys pour le cours accéléré
«Les relations amoureuses au vingt et unième siècle»!*

— Bien oui, être en couple, c'est comme se promener avec des fers puis un boulet au pied ! *Hey !* Ça me tente vraiment plus, moi !

Le boulet, c'est toi qui vas le recevoir sur la tête si ça continue ! Qu'ils sont cons ! Shit !

Chloé est tellement offusquée d'entendre cette conversation qu'elle oublie complètement de surveiller sa fenêtre et l'entrée des condos. Elle poursuit son écoute active.

— Ah ! Les filles puis leur besoin de sécurité ! Elles veulent tout, elles veulent être indépendantes et, en même temps, elles veulent toujours qu'on paye, qu'on les sorte !

— L'autre soir, je suis sorti avec une femme médecin, imagine qu'elle m'a refilé l'addition ! Elle est restée aux toilettes tellement longtemps que j'ai pas eu le choix, il a fallu que je paye quand le serveur est arrivé avec la facture.

— Ostie ! Elle gagne plus que toi !

— J'sais. Elles sont rendues de même, les filles, c'est le scénario classique, quoi ! Elles ont un bon salaire, puis elles veulent encore qu'on paye pour elles, 'stie !

— Elles veulent l'égalité juste quand ça fait leur affaire !

Le romantisme, t'as pensé à ça, mon petit pet ?

— Moi, ce que je veux, c'est profiter de ma liberté quand je ne travaille pas, puis ça, ça veut dire pas de Germaine à la maison pour me dire quoi faire.

— Mouais ! Qui dit liberté dit absence d'attaches !

— En plein ça, mon vieux, t'as tout compris !

Ah bien ! Plus minables que ça, tu meurs ! On est loin des trois C de Justine ! En fait, ce sont aussi des trois C, mais trois trous de C... ul !

Les trois T-de-C s'éloignent et vont s'asseoir à une table.

Chloé reprend du service pour lorgner côté Charles. Debout, devant elle, un homme est là et lui barre la vue. Elle se penche d'un côté, de l'autre, revient de l'autre.

Est-ce qu'il va s'en aller, celui-là ?

Elle se penche à nouveau de l'autre côté lorsqu'elle sent une main se poser sur son épaule. Elle se fige sous le coup de la surprise.

31

L'Apollon

— Charles! fait Chloé, dès qu'elle reconnaît le propriétaire de la main posée sur son épaule.

— Quel hasard! répond Charles. Tu viens souvent
ici?

— Euh… non, c'est la première fois.

— Tu avais l'air de chercher quelqu'un, est-ce que
tu attends encore le gai qui t'a embrassée l'autre jour
sur la terrasse?

Chiant quand même, ce type…

— Non, je suis seule, je passais par ici.

— Ah! Quel hasard! J'habite justement en face, dit
Charles.

Chloé hésite, elle ne sait pas s'il la nargue. La serveuse vient la sauver, pour un moment du moins. Elle
demande:

— J'ajoute un couvert?

— Non, merci, répond Charles, j'ai déjà rendez-vous
avec des amis, mais j'aurais bien aimé par exemple.

— Vous êtes prête à commander ? demande la serveuse.

— Oui, fait Chloé, je vais prendre le saumon.

— Ah ! La même chose qu'hier alors, pas de problème, lance la serveuse en repartant vers la cuisine.

— Hier ? demande Charles.

Chloé pince les lèvres. Charles sourit.

— Ah ! Oui, j'avais oublié, c'est vrai, je suis venue hier, j'avais eu une grosse journée, fait-elle, en passant la main devant son visage, comme si elle balayait une mouche.

Puis, avec un éclat de rire, elle ajoute :

— Ce qu'on peut être dans la lune, nous, les avocats, toujours à penser à nos dossiers !

— Moi, je ne peux pas me permettre ça, réplique Charles. Ça pourrait me coûter des millions de dollars.

— Ah ? Tu travailles dans quel domaine ?

— Je fais des *closings,* ventes de grosses sociétés seulement. Et toi ?

Pas un autre qui va me faire son cinéma, comme l'autre, en levant le nez sur ma pratique du droit !

Sur la défensive et prête à attaquer, Chloé répond :

— Matrimonial.

— Chacun son domaine, hein ? Pas facile de travailler dans les chicanes de couple, tu es bonne de faire ça, moi, j'en serais incapable !

Chloé le regarde de côté, sceptique, attendant presque la brique, alors qu'elle voit venir vers elle une magnifique femme brune aux cheveux longs, genre Angelina Jolie, sexy, des yeux immenses, des lèvres qui lui mangent toute la face, un corps sculpté au couteau. Elle ondule des hanches en fixant Chloé, qui se dit qu'elle doit sûrement la connaître puisqu'elle la regarde ainsi. Mais non, elle ne la replace pas. Arrivée à la table, « Angelina » prend Charles par le bras, lève le menton et l'embrasse sur la bouche.

— Euh… dit Charles, surpris.

Il donne un baiser sur les joues de la fille puis se tourne vers Chloé pour dire :

— Je te présente Jessica, une amie.

— Enchantée, fait la déesse.

Une amie, pas mal intime, mouais… Une copine avec un plus ? Une « fuckfriend » ? Une ex ? Une des amies Facebook avec qui il a roulé deux, trois mois peut-être ?

— Bon bien, à la prochaine, dit Charles à la jeune femme toujours accrochée à lui comme à une bouée de sauvetage.

Mais Charles dégage son bras et s'adresse à Chloé.

— Bon, je dois y aller, mes copains m'attendent, fait-il en désignant la table où trois hommes sont assis.

Merde ! Les trois trous de C !

Charles fait déjà un signe de la main vers la table. Chloé se penche vers son sac à main, feint de fouiller dedans.

— Chloé ? Viens que je te présente ! dit Charles.

— Non, répond-elle, je te remercie, une autre fois, veux-tu ?

— Viens, j'insiste ! fait-il, en s'inclinant pour être à la hauteur de Chloé.

— Non ! marmonne Chloé, la tête dans son sac à main, j'ai fait le divorce de l'un d'eux et je l'ai pas manqué !

Charles pouffe de rire mais dit :

— Et ce souper, c'est pour quand ?

— Je suis très occupée ces temps-ci, des gros dossiers, tu connais ça.

— Oui, je connais ça ! Samedi soir, dix-neuf heures, je réserve chez Boulud, et tu n'as pas le droit de te défiler !

32

Les sorcières de l'amour !

— Justine ! Juste au moment où j'allais me mettre la tête dans le four ! s'exclame Chloé, en répondant à son cellulaire.

— Ha, ha, ha ! fait Justine, dis-moi, qu'est-ce qui ne va pas ?

— Je ne sais pas quoi me mettre sur le dos pour mon rendez-vous ! Je suis découragée !

— Ne t'en fais pas ! J'appelle les filles, on va t'arranger ça, nous autres. Prépare-toi, on va *shopper*, ma Chloé !

* * *

— Venez ! On va aller voir ici, lance Justine à ses amies, qui se sont réunies pour magasiner sur la rue Sainte-Catherine. J'ai déjà trouvé une super belle robe une fois ! ajoute-t-elle.

— OK, on entre ! répondent les filles.

Justine pousse la porte d'entrée et les trois copines la suivent, se dispersant aussitôt dans le magasin.

— Regardez! s'exclame bientôt Sarah en montrant une robe très moulante. C'est joli, ça!

— Non, trop sexy! déclare Justine, intransigeante.

— Mais je l'aime! fait Chloé.

— Non, je te dis! C'est pas bon! Tu dois jouer la carte du mystère pour ton premier rendez-vous. Si tu portes un trop grand décolleté, l'homme pense qu'il n'aura rien à faire et que tout est gagné d'avance! Puis ça, ce n'est pas le message que tu veux envoyer!

— Oui, c'est vrai, approuve Sarah, Justine a raison, sexy, mais on cherche le look « subtile séduction ».

— Il faut que tu l'amènes dans ton lit lentement et sûrement, celui-là, c'est comme ça qu'il va y rester! fait Justine.

— Regardez ça! s'exclame à nouveau Sarah, en exhibant une jupe au-dessus d'un présentoir.

— Une option, on la garde! approuve Justine.

— Ça, les filles, qu'en pensez-vous? demande Chloé.

— T'es certaine que tu pourras respirer dans cette robe? demande Sarah.

— Huummmm… pas sûre, non.

— C'est un must! Tu dois être complètement à l'aise dans tes vêtements.

— Pour ça, j'ai ce qu'il faut en linge mou à la maison, dit Chloé.

— Ce dont t'as besoin, c'est la *fuck-me-dress*, mais sans l'option couchette, décrète Brigitte. Ah! Si on était à New York, on trouverait tout de suite, je connaissais tous les bons *spots*!

— *Hey!* proteste Chloé, c'est donc bien compliqué, votre affaire!

— Quand on va avoir fini avec toi, dit Justine, ton Apollon va même t'embrasser les pieds!

Les filles éclatent de rire, et Brigitte ajoute:

— Le jour J, quand il va vouloir trouver ton point G, c'est toi qui auras le dessus et tu n'auras qu'à le cueillir comme une rose.

— Ha, ha, ha! font encore les filles.

— Oui, mais avouez que ça fait peur, un célibataire, beau comme un dieu, qui se promène en Porsche! Il doit avoir toutes les filles qui lui courent après.

— Oui, mais là, tu as accepté d'aller souper avec lui! lui rappelle Justine. T'as déjà la main dans l'engrenage, autant y passer le bras aussi, va jusqu'au bout, tu le sauras si c'est ça! Mais garde-toi une petite gêne, si tu vois des signes, sauve-toi de là, puis vite, avant qu'il ne soit trop tard!

— S'il t'invite au Ritz, c'est qu'il a le chic, et sûrement le chèque. Reste le choc, mais ça, pas touche avant la troisième rencontre! déclare Sarah.

Chloé fait la moue, elle aimerait tant que ce soit plus simple. Elle continue à pousser les robes sur le présentoir, les élimine toutes les unes après les autres en pensant à tous les critères que ses amies sorcières édictent.

— On va finir par te trouver le kit parfait, l'assure Brigitte, en voyant la mine dépitée de sa copine, ne te décourage pas.

— OK, lance soudainement Justine, meeting! On s'éparpille trop! Venez ici, faisons un récapitulatif. Décidons des critères, ensuite on aura une idée! Un: déterminer l'endroit, donc chez Boulud. Jupe, robe ou pantalon?

— Jupe ou robe! Chloé a de belles jambes, il faut les montrer. C'est mieux, dit Sarah, non?

— Oui, puis elle a de beaux seins, mais ça, il ne faut pas les montrer, juste une suggestion en passant… précise Brigitte.

— Ha, ha, ha!…

— C'est quand même au Ritz, ça vaut la peine de s'habiller chic! souligne Sarah.

— Oui, bien d'accord. On continue. La longueur? s'enquiert Justine.

Les yeux de Chloé vont de l'une à l'autre, elle se demande bien où tout ça va aboutir. Son sort est laissé entre les mains de ses amies-sorcières-de-l'amour qui sont en train de lui concocter non pas une potion magique, mais un look divin.

— Pas à ras le popotin non plus, il ne faut pas qu'il pense que tout lui est permis et qu'il n'a qu'à glisser la main sous ta jupe pour entrer au paradis! Donc, mi-cuisse! On cherche une robe ou jupe, mi-cuisse et pas décolletée, on y va?

— Oh! fait Sarah, n'oubliez pas que Chloé est rousse, donc la couleur est importante, et pas trop de motifs genre léopard ou grosses fleurs, ça fait peur aux hommes!

— Puis aussi, confortable, il ne faut pas que tu perdes connaissance quand même! fait remarquer Brigitte de son côté.

Les femmes repartent aussitôt à l'assaut des rangées en riant de plus belle. Elles fouillent et farfouillent, des robes sortent des rangées, soulevées par l'une, par l'autre, des *non* fusent, des *peut-être*, et enfin, quelques *oui*, qui sont dirigés vers la salle d'essayage.

Un brin dépassée, Chloé dit:

— Ça va, les filles, j'en ai assez, je trouverai sûrement parmi ça.

Les amies s'esclaffent, puis se remettent à la tâche, empoignant çà et là chemisiers, robes, chandails et compagnie!

Une vendeuse vient bientôt les voir et demande:

— Je peux vous aider?

— Non, répond Chloé gentiment, j'ai déjà trois expertes assez motivées comme ça!

Le repérage fini, Chloé entre dans une salle d'essayage. La vue de tous les kits que ses amies ont trouvés la décourage un peu. Mais ce rendez-vous, elle ne veut pas le manquer et elle se plie finalement de bonne grâce à l'essayage. Elle sort avec la première robe sur le dos. Elle ne met pas longtemps à se rendre compte que ça cloche, à voir la mine déconfite de ses amies. Elle retourne dans la cabine sans demander son reste et en essaie une autre.

Au deuxième essayage, elle se pavane devant ses amies et dit:

— Il me semble que j'ai l'air grosse dans celle-là, non?

— Grosse? Bien voyons donc! fait Sarah.

Chloé leur tourne le dos, fait un examen plus approfondi. Elle rentre son ventre, se tapote les fesses, essaie de s'étirer en longueur pendant que, à son insu, les filles se jettent un coup d'œil désapprobateur, lui concédant, sans toutefois vouloir le lui dire, qu'elle a tout à fait raison. Finalement, Justine balaie l'air de ses mains et déclare:

— Ah! Non, moi, je ne l'aime pas, celle-là, la couleur ne te va vraiment pas!

— *That's it!* approuve aussitôt Brigitte, je savais qu'il y avait quelque chose qui clochait, mais je ne pouvais pas mettre le doigt dessus!

Chloé tourne les talons pendant que les filles lèvent les yeux au plafond et se font un petit sourire de connivence. Ouf! La ruse de Justine est arrivée bien à point!

Ainsi vont les nombreux essayages, les échanges de chemisiers et de jupes.

Le verdict tombe enfin lorsque Chloé sort de la cabine vêtue d'une jolie robe sans manches, d'un vert sombre avec un col montant, très ajustée, longueur mi-cuisse, et qui répond, sans contredit, à tous les critères établis.

— Wow! s'exclament les filles à l'unisson.

— Tes souliers à talons hauts noirs avec ça, ceux à la semelle compensée, seront parfaits, dit Justine.

Chloé est ravie, elle aussi adore la robe. Alors qu'elles patientent toutes devant la caisse en attendant que la vendeuse prépare le paquet, Sarah sort un petit flacon de son sac, le tend à Chloé.

— Tiens ! fait-elle, mets une goutte de cette huile essentielle de genièvre dans ton shampoing, et il sera ensorcelé. Moi, j'avais fait ça avec Adam. Si ça a eu de l'effet sur un gai, imagine sur un hétéro !

— Ah ! Je veux sentir ! s'écrient les amies, qui font ensuite circuler le flacon de l'une à l'autre.

À son tour, Justine se fait énigmatique, sourit et extrait, elle aussi, un flacon de son sac pour le remettre à Chloé.

— À mon mariage, j'avais fait une petite recette millénaire, explique-t-elle. Tiens, enduis ton corps de cette mixture et laisse pénétrer pendant trente minutes.

— Qu'as-tu mis dans ta potion magique, gentille sorcière ? demande Chloé.

— Du miel, de l'eau de source, de l'huile d'olive pure, qui provient d'un vieil olivier, et du jus de fruit de la passion. Divin ! Ta peau sera douce comme celle d'un bébé, et lorsqu'il touchera tes bras, il sera envoûté et n'aura qu'une envie : TOI !

— Le pauvre ! dit Brigitte. Il est déjà tout « préli-miné » et la soirée n'est même pas commencée !

Sarah, Justine et Brigitte rient de bon cœur pendant que Chloé, émue, regarde ses amies tour à tour et laisse échapper les larmes qui menaçaient de couler depuis un certain temps.

— Les filles, je ne peux même pas imaginer ma vie sans vous ! leur souffle-t-elle.

Touchées, les amies étreignent Chloé devant la vendeuse attendrie, qui tient le sac joliment emballé tout contre elle.

33

Quand un homme
ne veut rien comprendre

Dans un corridor du Reine-Elizabeth, deux jeunes garçons turbulents s'amusent à courir. Une porte s'ouvre, une mère glisse la tête à l'extérieur et demande aux enfants de se calmer. Un des garçons s'appuie sur le cadrage de la porte, fouille dans la poche de son pantalon et en sort un sac de friandises qu'il partage avec son frère.

Alors qu'ils avalent leurs sucreries, ils voient venir une énorme femme aux cheveux blonds bouclés, graisseux, qui s'échappent de sa casquette de vinyle rose et tombent devant sa figure. Pris de panique, les garçons écarquillent les yeux et se figent. Plus la femme s'approche de son pas lourd, plus les enfants ont peur. Maintenant qu'elle est tout près, les garçons distinguent clairement ses traits : elle a une grosse verrue sur une de ses narines, une autre toute poilue tout près de la bouche, des dents noires, du moins celles qu'il lui reste. Son maquillage outrancier fait penser à celui d'une vieille prostituée.

— Bonjour, les petits! dit-elle, en avançant ses immenses lèvres peintes en rouge, tout en chiquant sa gomme bruyamment.

Les enfants frappent maintenant à tout rompre contre la porte de la chambre qui s'ouvre sur leur mère, qui les gronde à nouveau de faire tant de boucan.

Deux portes plus loin, la femme cogne au numéro 1201. Elle n'a pas longtemps à attendre, car Christian ouvre aussitôt, empressé de voir… Brigitte. Tout aussi saisi que les gamins, et même encore plus, il bredouille:

— Vous… vous… vous êtes trompée… de… de… de chambre, madame, finit-il par balbutier.

— Mais non, fait-elle, en ouvrant un imper sur un déshabillé noir de fine dentelle, qui craque sous toutes les coutures.

Le déshabillé lui rappelle vaguement quelque chose, mais complètement sous le choc, l'homme crie, en tentant vainement de repousser la dame vers l'extérieur:

— Qu'est-ce que vous faites là? Rhabillez-vous!

Mais la femme est bien décidée à se rendre jusqu'au bout. Elle sort des menottes de ses poches, les lui montre et déclare:

— J'ai ce qu'il faut!

— Mais je ne vous connais pas, sortez d'ici! ordonne Christian, paniqué.

— J'ai ça aussi, si vous préférez, renchérit la dame, qui lui montre un fouet, profitant de la commotion temporaire qu'elle a semée pour faire un pas de plus dans la chambre.

— Je ne vous ai rien demandé, laissez-moi tranquille!

Puis la femme sort le roman *Fifty Shades of Grey* et lui fait un clin d'œil outrancier en avançant ses grosses babines rouges en forme de baiser.

Christian ne sait plus quoi faire pour repousser sa « muse » qui, décidément, ne semble pas vouloir repartir. Faute de pouvoir la chasser avec la force, il opte pour une fuite vers la salle de bain, puisque la dame bloque l'accès de la porte. Soulagé, il s'enferme à double tour à l'intérieur et se jette aussitôt sur le téléphone d'urgence. D'une voix tremblante, il s'écrie :

— Venez vite au 1201, il y a une femme avec une casquette rose qui s'est introduite dans ma chambre !

Trop tard, car la femme en profite pour se barrer en empochant ses objets sado-maso. Elle boucle son imper, enlève sa casquette munie des cheveux blonds graisseux qui sont cousus au rebord, fout le tout dans son grand sac et part tranquillement.

Mission accomplie !

Check !

Christian colle l'oreille contre la porte pour tenter de savoir ce que son agresseur trame de l'autre côté, s'inquiète pour ses objets personnels qu'il a laissés dans la chambre, la bouteille de champagne qui est ouverte et qui repose dans le seau à glace. Et si elle buvait à même la bouteille en attendant les gardiens et qu'elle ruinait le précieux nectar qu'il se proposait de boire avec Brigitte ? Puis il repense à l'horrible femme, les dents noircies, la verrue, la casquette rose, et tout à coup lui vient en tête le déshabillé qu'elle portait. Il se frappe alors le front et dit :

— Ostie que je suis con !

* * *

Réunies dans la salle des pas perdus de la place Ville-Marie, les quatre amies trépignent tellement elles ont hâte de voir arriver l'émissaire que Chloé a envoyé pour se prêter à leur petit jeu.

Question : Est-il vrai que les hommes aiment les *bitches* ?

Les yeux rivés aux immenses baies vitrées, elles surveillent l'entrée du Reine-Elizabeth avec impatience, y allant de tous les scénarios imaginables et riant comme des folles.

— Elle est là, regardez! crie bientôt Sarah.

Les filles sautillent en attendant que leur «envoyée spéciale» traverse la rue. Dès qu'elle met les pieds sur le trottoir d'en face, les amies sortent et vont à sa rencontre.

— Puis? Puis? font-elles en même temps.

— C'était trop drôle! s'exclame la femme entre deux hoquets, vous auriez dû lui voir la face, il a eu tellement peur qu'il est allé s'enfermer dans les toilettes!

Le quatuor éclate de rire.

— Vous lui avez montré *Fifty Shades of Grey*, hein? demande Chloé.

— Bien sûr, et avec les menottes et le fouet, fait la dame en remettant les objets aux filles.

— Et le déshabillé, il l'a bien vu aussi?

— Oui, mais là, il était tellement paniqué que je ne suis pas certaine qu'il a remarqué que c'était le vôtre!

Pendant que ses copines s'esclaffent de nouveau, Brigitte remet un billet de cent dollars à leur messagère.

— Merci! lui dit-elle.

— C'est rien, ça fait longtemps que je ne me suis pas amusée comme ça!

Puis elle repart, laissant les amies sur le trottoir.

— Ah! fait Chloé, vous oubliez la verrue!

Tout le monde rit alors que la femme enlève la protubérance de sa narine. Les filles rigolent encore quand soudainement Brigitte fond en larmes.

— Mais qu'as-tu? demande Sarah.

Brigitte sanglote, et finalement elle bredouille:

— Là, c'est vrai que c'est bien fini. Il va quand même me manquer. Même s'il voulait juste coucher avec moi.

— Ces gars-là, ça ne laisse jamais leur femme, fait remarquer Justine, malgré ce qu'ils font croire.

— Oui, je sais.

— C'est la totale que tu aurais aimé qu'il te propose ? demande Chloé doucement.

— Oui, je dois bien l'avouer, c'est ce que j'aurais aimé. J'aurais été prête à quitter Jean tout de suite pour lui. S'il me l'avait demandé, laisse tomber Brigitte tristement.

34

C'est dans les toilettes
que ça se passe !

Elliot prend une longue, mais alors là, très longue inspiration !

Ferme les yeux.

Il expire maintenant bruyamment l'air de ses poumons.

Il ouvre les yeux, regarde le plafond.

Il souffle un peu, gonfle à nouveau ses poumons de tout l'air qu'il est capable d'emmagasiner.

— Ça va ? demande bientôt Sarah en levant la tête vers lui.

— Mmmmm… grommelle Elliot pour toute réponse.

— Je continue ?

— Mmmmm… marmonne encore Elliot, qui se tient à la porte d'une cabine des toilettes des hommes.

Sarah s'applique à la tâche, qui semble conduire Elliot tout droit vers le septième ciel !

Hum ! Voyons voir si ma méthode est bonne…

— Et cette augmentation, je l'aurai? demande-t-elle.

— Oui!

— Et ce week-end à New York?

— Oui!

Elle hésite un peu, mais tant qu'à y être, pour rigoler davantage, elle lance:

— Un gros diamant?

— Oui! acquiesce une fois de plus Elliot.

Complètement dans les vapes, celui-là!

Elle pense même ajouter: «Et une demande en mariage?» Mais cette question, Sarah se garde bien de la poser, au cas où Elliot aurait conservé un brin de lucidité!

Les deux amoureux sont plongés chacun dans leur félicité lorsqu'ils entendent la porte s'ouvrir. Sarah ne fait qu'un bond sur la cuvette alors qu'Elliot reste là, l'artillerie lourde au garde-à-vous. Dans un équilibre précaire sur ses talons hauts, Sarah tente de rester debout sur la toilette. Ils entendent des bruits, suspendent leur respiration. Sarah jette un œil sous la cloison du cabinet voisin, aperçoit des chaussures, les talons appuyés contre le pied de la cuvette. Elle se redresse, regarde par-dessus la cloison et voit un homme assis.

Il est là pour un bout de temps, celui-là! Il me semble bien constipé…

Elle fait signe à Elliot qu'ils peuvent sortir. Il remballe son artillerie, à son grand regret. Sarah lui fait un signe de la main, désigne sa fermeture tout en grimaçant pour qu'il fasse attention de ne pas se coincer à nouveau! Lui a un fou rire qu'il a peine à réprimer. Sarah enlève ses chaussures, descend de son piédestal et intime à Elliot de se taire en mettant un doigt sur ses lèvres. Il tire la chasse de la toilette pour faire un peu de bruit, et ils sortent en catimini.

Un simple regard suffit pour les faire pouffer de rire tous les deux une fois sortis des toilettes, bien entendu.

Mais... ils reprennent leur sérieux aussi vite lorsqu'ils voient Suzie-la-chipie venir vers eux!

35

Préparation 101

Le corps enduit de la potion magique, composée d'huile, d'eau, de miel et de jus de fruits, que Justine a concoctée, Chloé fait les cent pas dans son condo.

En costume d'Ève, il va sans dire.

Incapable de s'asseoir nulle part, elle se promène de gauche à droite, revient sur ses pas, tourne en rond. Avec son joli minois, Rambo la regarde passer, la tête penchée sur le côté, l'air de se demander ce qui se passe avec sa maîtresse, et surtout, pourquoi elle ne le prend pas dans ses bras comme il le lui suggère si clairement. Devant son refus, il s'en va bouder dans sa petite cage. Finalement, Chloé appelle Justine pour vérifier le temps qu'elle doit macérer ainsi, car ces trente minutes lui semblent interminables.

— Bien oui, c'est ça, confirme Justine, il ne faut surtout pas rincer avant, sinon ça ne marchera pas !

— Mais c'est long ! se plaint Chloé.

— Profites-en pour lire tes articles de droit, je ne sais pas, moi, regarde un film !

— Merde !

— Mais quoi ?

— Je viens de m'asseoir sur le canapé ! Nooon ! C'est tout gommé !

— T'en as mis sur les fesses ?

— Bien… oui.

— Mais Chloé, pourquoi les fesses ? Il ne faut pas que tu couches avec lui ce soir, t'oublies pas, hein ?

— Bien oui, je te le promets ! C'est juste que… je me suis dit : si ma peau est douce de partout, je vais me sentir encore mieux et ça va m'aider, non ?

— Oui, mais en attendant, ton canapé est tout collant !

— Je nettoierai tantôt. Ça m'énerve trop, ce souper ! admet Chloé.

— Sois naturelle, ça va bien aller !

— Mouais, naturelle… facile ! Bon, il faut que je te laisse, Justine, je dois préparer ma potion pour les cheveux maintenant. Ah ! Que c'est donc compliqué, une *date* !

— Fais tes affaires, je te rappelle tout à l'heure, ma pitoune.

Chloé raccroche, va chercher le flacon d'huile essentielle de genièvre, le flaire, en verse une goutte dans sa bouteille de shampoing, le respire à nouveau, ne sent pas la différence. Elle en ajoute quelques gouttes jusqu'à ce que le parfum imprègne le shampoing.

Aussitôt les trente minutes écoulées, Chloé saute dans la douche, se savonne bien comme il faut et, avec un gant exfoliant, cadeau de Brigitte, elle arrive à faire disparaître toute trace de la potion magique. Lorsque vient le temps de laver ses cheveux, elle hume une fois de plus le parfum enivrant de genièvre avant d'en prendre une bonne ration qu'elle applique sur sa longue chevelure. Elle sort bientôt de sa douche, embaumant l'air d'une délicate odeur de baies, et sa peau est aussi douce que celle d'un bébé. Elle déballe une jolie boîte enrubannée, prend dans ses mains les affriolants sous-vêtements qu'elle s'est offerts pour l'occasion, les admire un instant puis les met. Elle vérifie l'effet qu'ils produisent sur elle.

Même si elle ne les montrera pas, ce soir-là.

Même si elle en aura envie.

Sûrement.

Enfin, peut-être…

Elle enfile la petite robe parfaite choisie par ses amies, les sorcières de l'amour, pour faire craquer le beau mec à la Porsche. Enfin, elle fait glisser des bas soyeux sur ses jambes, met ses chaussures noires à talons très hauts. Elle se contemple dans la glace.

Ce petit kilo que j'ai perdu me va décidément très bien…

Elle pense à rappeler Justine et, à l'instant même, son téléphone sonne. Elle regarde l'afficheur et, sans attendre, dit à son interlocutrice :

— Justine ! On a fait de la télépathie, je viens juste de terminer !

— Envoie-moi une photo, je veux te voir !

— OK, attends !

Chloé appuie sur le bouton de la caméra de son cellulaire, essaie de prendre une photo d'elle-même qui en dévoilera le plus. Mais elle n'arrive pas à se voir en entier. Finalement, elle s'assoit sur le canapé.

Hum…

Et pose devant l'objectif telle une star.

— Je te l'envoie, dit-elle à Justine.

— Super ! Ça va bien aller, ne t'en fais pas !

— Facile à dire…

— Il va tomber sous ton charme. Tu es si spéciale !

— Oui, tellement spéciale que ça se bouscule à la porte !

Au même moment, on sonne à la porte.

— Déjà ! s'exclame Chloé, il est en avance ! Un bon signe. Souhaite-moi bonne chance !

159

— Bonne chance, ma belle pitoune !

— Merci ! Ah ! Je suis trop nerveuse ! Je te laisse !

Chloé se compose un grand sourire, brasse sa crinière rousse de lionne, tend sa main fraîchement manucurée vers la poignée et, enfin, ouvre la porte.

Son visage se décompose.

36

Adulescent contre Apollon

— Sébastien! Qu'est-ce que tu fais ici? s'exclame Chloé, découragée.

Et Charles qui doit arriver d'une minute à l'autre, merde!

Sébastien reste sur le pas de la porte, les mains dans les poches, baisse les yeux, prend son air pitoyable de «piteux-pitou», qui faisait habituellement craquer Chloé.

Mais ça, c'était avant.

Rambo se tient assis aux pieds de Chloé, fixe le nouveau venu, prêt à attaquer en cas de besoin. Enfin, Sébastien lève les yeux, s'approche de Chloé et tente de l'embrasser sur les lèvres. Elle tourne la tête à la dernière minute de sorte que le baiser atterrit sur le coin de sa bouche.

— Tu ne me rappelles pas? Ça fait je ne sais pas combien de fois que je te laisse des messages!

Comment faire détaler un homme en trente secondes?

— C'est que je suis occupée, là! dit Chloé, sur un ton impatient.

Sébastien tend le cou et parcourt la pièce du regard pour s'assurer qu'un rival n'est pas tapi quelque part.

— Il y a quelqu'un ici? demande-t-il.

— Sébastien, on se parlera demain, veux-tu?

Sébastien s'avance encore un peu plus dans le condo, scrute les pièces d'un œil soupçonneux pendant que Rambo émet des grognements et jappe.

— Tut, tut, tut, fait Chloé gentiment, en touchant le museau du mignon yorkshire du bout de l'index, ne sois pas méchant, toi! Tu ne feras peur à personne, petite terreur!

Rambo continue son manège. Chloé le prend, le dépose dans sa chambre et ferme la porte.

— Bon! En pénitence! lance-t-elle.

— Je veux qu'on essaie une autre fois, tu me manques, dit Sébastien.

J'espère que Charles va être en retard…

— C'est maintenant que je te manque? commence Chloé. Avant, tu ne trouvais jamais de temps pour me voir. T'as toujours préféré jouer à tes jeux vidéo plutôt que d'être avec moi.

— Ça m'a fait réfléchir, j'ai changé!

Comme par hasard, au moment où moi, j'en avais assez!

— Pour combien de temps? Jusqu'à demain? demande Chloé. Jusqu'à ce que je revienne pour que, toi, tu redeviennes comme avant?

— Non, j'ai compris cette fois.

— Il faut que tu partes, appelle-moi demain, veux-tu? Je m'en allais…

— Tu es très belle, tu t'en vas voir un autre homme, c'est ça, hein? Et tes cheveux sentent si bon! C'est pour ça que tu ne veux pas que je reste chez toi? C'est ça? Dis-le!

Au désespoir de Chloé, c'est ce moment que choisit Charles pour arriver. Embarrassée, elle ouvre la porte.

Geeez! Comment expliquer que Sébastien soit encore là? Le scénario du gai ne peut plus marcher!

— Allô! fait-elle, d'un air faussement enjoué. Sébastien vient juste d'arriver. Un drôle de hasard, hein?

— Je ne sais pas si je dois appeler ça un hasard, mais ce n'est certainement pas une chance, déclare Charles en dévisageant Sébastien. Tu es très jolie, ajoute-t-il, cette robe te va comme un gant.

Il ne faut pas que j'aie l'air d'avoir magasiné juste pour lui. Sans ça, il va croire que tout est dans la poche!

— Ah! fait Chloé en balayant l'air de sa main, c'est une robe que j'ai depuis longtemps, je suis contente que tu l'aimes!

Charles embrasse Chloé sur les joues, passe un bras derrière elle, au bas de son dos. Mais il enlève aussitôt sa main, la regarde, surpris, et dit:

— Mais qu'est-ce que c'est, ça? Tu es toute collante!

Chloé, à son tour, passe la main dans son dos, se tapote les fesses, arrondit les lèvres et, découragée, se tape le front.

Plus conne que ça, tu meurs! C'est quand j'ai pris la photo pour Justine! Non, mais c'est pas possible!

— C'est pas vrai! Merde! dit-elle.

— Mais oui, c'est vrai! lance Charles.

Sébastien se poste derrière Chloé, passe une main sur ses fesses.

— *Hey!* Il faut surtout pas se gêner! s'insurge Chloé.

— C'est vrai, tu es toute collante! confirme Sébastien.

Je ne peux quand même pas lui dire ce que j'ai fait...

Mais de façon élégante, Charles la sauve d'une embarrassante explication. Constatant le peu de meubles et l'absence de décorations sur les murs, il demande:

— Tu viens d'emménager?

— Non, ça fait deux ans que je reste ici, pourquoi?

— Pour rien, d'habitude, les filles sont fortes sur la décoration!

C'est décidé, j'engage Brigitte pour faire ma déco, elle serait vraiment bonne là-dedans!

— C'est le temps, tu sais ce que c'est, être avocate!

— Oui, je sais. Moi, j'ai dû engager quelqu'un.

Briiiigiiiiitte! Au secours!

— Je t'attends pendant que tu enfiles une autre robe, fait Charles en s'assoyant sur la causeuse.

Chloé se précipite vers lui, n'a que le temps de crier:

— Nooooooon!

— Mais qu'est-ce qu'il y a? s'étonne Charles.

Confuse, Chloé hésite à lui révéler qu'il s'est, lui aussi, assis dans la potion magique.

Et s'il salit les sièges de sa Porsche, il va m'en vouloir pour la vie!

Cette pensée finit de la convaincre. Elle lui explique:

— C'est que… excuse-moi, mais il ne fallait pas t'asseoir dans ce fauteuil.

— Comment ça? demande Charles, en se levant d'un bond et en touchant ses fesses. Ouuuaaaach! Qu'est-ce que c'est que ça!

— Tu ne vas pas t'en aller avec lui! s'exclame Sébastien.

— Toi, Sébastien, tais-toi, c'est pas le temps! Remets-en pas par-dessus!

— Mais c'est quoi, cette histoire? insiste Charles.

— C'est… pour rendre la peau douce, murmure Chloé, la mine pitoyable.

Découragé, Sébastien lève les bras dans les airs et lance:

— Tu voulais te rendre la peau douce pour lui?

— Oui, répond Charles, pour moi.

Chloé passe de l'un à l'autre, ne sait plus quoi faire pour maîtriser de nouveau la situation. Charles suggère:

— Va te changer pendant que j'essaie de me nettoyer.

Puis s'adressant à Sébastien, il ajoute:

— Je ne crois pas que ta présence soit nécessaire.

— C'est MA blonde! rétorque Sébastien, piqué au vif.

— Ton EX-blonde, s'empresse de préciser Chloé.

— Et c'est avec moi qu'elle a rendez-vous! souligne Charles.

Et se tournant vers Chloé, il lui intime:

— Va enfiler une nouvelle robe, je t'attends…

Non! Pas une nouvelle robe, merrrrrde!

Sébastien regarde Chloé dans l'espoir qu'elle choisira de le retenir et de foutre l'importun dehors. Devant son silence, il doit bien reconnaître que, l'importun, c'est lui! Dépité, il se dirige vers la porte, tourne la poignée et, sans dire un mot, part tristement. Avec un pincement au cœur, Chloé le suit des yeux, a envie de céder, d'essayer une « autre » dernière fois.

Est-ce que je suis en train de laisser partir l'homme de ma vie, le père de mes enfants? Il a l'air prêt à s'investir alors que je tente la grosse affaire avec un nouveau, qui voudra peut-être juste coucher avec moi, comme bien d'autres!

En effet, comment peut-elle s'assurer que son « adulescent » n'est pas seulement jaloux de Charles? Qu'il ne veut pas juste savoir si elle est encore amoureuse de lui de manière à renouer avec elle pour ensuite la négliger comme avant?

— Euh… oui, une nouvelle robe, fait Chloé, j'y vais! Avec tout ça, j'ai oublié Rambo dans ma chambre! ajoute-t-elle.

— C'est qui, Rambo? demande Charles.

— Ah! C'est mon chien.

— Ton chien? C'est que… c'est que… tu veux bien le laisser dans ta chambre? J'ai vraiment peur des chiens… enfin, je veux dire des gros chiens.

— Bien non, voyons, il n'est pas méchant.

Chloé se dirige vers sa chambre.

— Non, s'écrie Charles, attends! C'est pas une *joke*, j'aime vraiment pas les gros chiens, laisse-le dans ta chambre!

Malgré les protestations de Charles, Chloé ouvre la porte et appelle Rambo. Le petit chien, inconscient de la crainte qu'il a semée, sort de la chambre en remuant son arrière-train.

— C'est… lui qui s'appelle Rambo ? balbutie Charles, la mâchoire décrochée.

— Oui, répond Chloé, en s'esclaffant. C'est lui ! Tu ne l'as pas vu l'autre jour ? Il était dans mon sac à main au restaurant !

— Ah ! Non, je ne l'ai pas remarqué, je ne regardais que toi. Excuse-moi, j'ai l'air un peu con comme ça, mais je me suis fait mordre par un berger allemand lorsque j'étais jeune. Il m'a laissé un bon souvenir sur la jambe, ce qui fait que, quand je peux, je préfère éviter les gros chiens.

Charles hésite entre pouffer de rire et s'en aller. Il trouve Chloé bien jolie, mais il constate aussi qu'il n'y a rien de simple avec elle. Finalement, la mine réjouie de la jeune femme, ses beaux yeux verts, sa petite bouche en cœur, sa robe gommée le font tout de même craquer.

— C'est de moi que tu ris comme ça ? demande Charles en s'esclaffant à son tour.

— Au moins, mon petit chou aura fait peur à quelqu'un dans sa vie !

— Rambo ! Comment peux-tu appeler un yorkshire comme ça ?

— C'était pour me protéger, fait Chloé.

— Tu es spéciale, toi. D'abord, tu me dis que tu sors avec un gai, qui t'embrasse sur la bouche, tu rentres dans mon pare-chocs au palais de justice, je te retrouve au restaurant en face de chez moi, tu t'assois sur ton canapé alors que tu es enduite de je-ne-sais-pas-trop-quelle-substance collante, qui se retrouve sur moi, puis t'appelles ton chien Rambo !

Il a dit que je suis spéciale, comme Justine, et Justine m'aime donc… un plus un, ça fait deux, non ?

37

En caleçon dans la cuisine !

Aussitôt arrivée dans sa chambre, Chloé texte à ses amies pour les rassurer que tout va bien, maintenant que sont passés les premiers émois provoqués par l'arrivée inopinée de Sébastien, mais aussi, par la potion magique ! Vêtue d'une robe choisie au hasard dans sa garde-robe, à sa grande déception, Chloé sort de sa chambre, mais ne voit pas Charles dans le salon. Elle allonge le cou, jette un coup d'œil dans la cuisine, écarquille les yeux.

Meeerrrde !

Charles est en train de nettoyer son pantalon, en chemise et en slip. Elle dit :

— Oh ! Excuse-moi, tu me diras quand tu auras fini !

— Mais non, reste, je ne voulais pas te déranger. Je ne savais pas si ta porte de chambre donnait sur ta salle de bain, mais… t'as déjà vu un homme en boxer, non ? demande-t-il avec son sourire enjôleur.

— Huuuummmm, non, première fois ! répond Chloé, coquine.

Charles lui fait un clin d'œil et continue sa tâche.

Ahhhh ! C'est pas possible comme il est beau !

Mine de rien, Chloé évalue son corps athlétique, ses jambes musclées, note au passage la grosse cicatrice qu'il a sur la cuisse.

N'eût été cette marque de morsure, il aurait fait un bon prospect pour annoncer les caleçons d'hommes, celui-là !

— T'as un séchoir à cheveux ? demande Charles.

— Euh… oui, fait Chloé, sortant de sa rêverie.

Elle va à la salle de bain, prend son séchoir et, au moment où elle se retourne, arrive nez à nez avec Charles. Ils sont si près l'un de l'autre. Il se penche vers elle, l'embrasse sur la bouche. Chloé a des papillons dans l'estomac au contact des lèvres si douces de Charles.

Comme il embrasse bien, c'est si bon, et ses muscles sous sa chemise, mmm…

Chloé sent déjà ses défenses faiblir, se laisse aller dans les bras de Charles, lorsqu'elle a une vision : ses amies toutes trois réunies et qui crient à l'unisson « NOOOOOON ! ».

Chloé se ressaisit enfin, mais doit réunir toutes ses forces pour repousser Charles. Elle dit gentiment, mais fermement :

— Un peu tôt pour ça ! Tu n'aurais même pas dû entrer ici !

Puis elle lui tend le séchoir à cheveux d'un air taquin. Il sourit, mais ne montre aucun signe de contrariété.

— Tu ne peux pas m'en vouloir d'avoir essayé, non ? Tu es si belle, tes cheveux sentent si bon…

Et mon corps est si doux, mais ça, tu ne le sauras pas, du moins pas ce soir, ni le deuxième, mais… peut-être le troisième, si tu es toujours gentil.

— Non, je ne t'en veux pas, allez, sèche ton pantalon qu'on aille souper !

— Ah! Ce n'est pas aux femmes de faire ça?

— Désolée, il fallait naître dans un autre siècle!

Toutes les femmes rêveraient de sécher son pantalon, moi la première! Non, non et non! Il est habitué à tout avoir, mais pas avec moi!

— Et ton gai, il vient souvent chez toi comme ça? demande Charles, en haussant le ton pour couvrir le bruit du séchoir.

— Mon quoi?

— Ton gai qui t'embrasse sur la bouche. Tu sors encore avec?

Hum... bon signe, est-ce que le mec serait déjà jaloux?

— Non, non, c'est bien fini, fait Chloé.

— Il n'a pas l'air de vouloir lâcher le morceau!

— Non, que veux-tu, je ne l'aime plus et il ne veut pas comprendre, lance-t-elle de façon désinvolte.

— Je le comprends de ne pas te laisser aller ainsi.

Le pantalon bientôt séché, Charles lui dit:

— Prête?

— Oui, prête!

Charles ouvre la porte, la laisse passer.

Autre point positif, il a des manières!

Ils montent dans sa Porsche. Chloé entend un bruit de texto. Elle jette un coup d'œil discrètement, lit:

« Je t'aime. »

Nooon, c'est pas vrai! Les seules fois où il me dit ça, c'est quand je me décide à le quitter et au moment où je suis avec un autre homme.

Malgré tout, elle a un pincement au cœur, elle avait tant désiré cette déclaration!

Tellement longtemps, en fait, que son sentiment pour Sébastien s'est étiolé avec le temps.

Charles embraye en première, fait vrombir le puissant moteur de sa voiture. Chloé sent son dos caler dans son siège et se dit que, c'est ça, la vie, il faut aller de l'avant.

Devant le Ritz, Charles sort de voiture, un portier en livrée ouvre la portière côté passager et aide Chloé à descendre. Charles remet ses clefs au préposé du stationnement qui vient à sa rencontre.

— Est-ce que ce séra pour longtemps? demande l'homme.

— Pour la vie, peut-être? répond Charles, en faisant un clin d'œil à Chloé.

Puis il lui tend une main et dit:

— Tu viens?

Chloé met sa main dans la sienne, et il l'entraîne à l'intérieur.

Est-ce que je devrais foutre le camp d'ici, moi, au plus vite?

38

Déménagement

À genoux sur la dernière boîte, Justine tente de maintenir en place les deux panneaux qui menacent de s'ouvrir pendant que Sarah met du ruban adhésif sur le dessus. La mère de cette dernière passera chercher les jumelles à l'école et les gardera à coucher le temps que sa fille déballe toutes ses affaires et s'installe dans son nouvel appartement. Les deux amies, une fois leur travail terminé, regardent les boîtes empilées partout, qui donnent à la belle demeure de Sarah un air de profonde tristesse.

Un passage obligé vers une nouvelle vie.

Une page fermée sur l'ancienne.

Sarah s'assoit sur la boîte en poussant un profond soupir. Justine la pousse des fesses pour se tailler une place, passe le bras autour de son amie, la serre contre elle. Sarah pose sa tête contre l'épaule de Justine alors qu'une larme pointe au coin de ses yeux.

— C'est la vie! laisse-t-elle tomber tristement.

— Oui, approuve Justine. C'est pas toujours facile, hein?

Sarah fait une moue contrite et dit:

— Non, pas toujours, mais il faut continuer! Moi qui croyais qu'Adam et moi, c'était pour la vie!

— Oui, c'est ce qu'on croit toujours, répond Justine. Au moins, les choses semblent bien se passer avec Elliot, non?

— Oui, il est si… surprenant, avec ses petits rendez-vous en cachette dans le bureau.

— Vous n'avez pas recouché ensemble?

— Bien non, on s'est juste embrassés dans le bureau.

— Hum… bizarre pour un homme! Mais je crois que c'est mieux ainsi. Il ne doit pas te sentir prête, même si tu crois lui avoir pardonné.

— C'est vrai que, parfois, ça me revient, tout ça, et il m'arrive encore de penser qu'il aurait pu m'avertir que je pouvais perdre mon emploi si je couchais avec lui.

— Alors tu vois, ça doit être pour ça qu'il prend son temps cette fois-ci! Tu ne peux pas le lui reprocher.

— C'est quand même un homme extraordinaire.

— Et il a l'air d'opérer! Il me semble qu'une vie doit être bien remplie avec un homme comme celui-là! Tu ne t'ennuierais pas!

— Oui, il est plein de projets, généreux, mais… je ne sais pas au juste ce qu'il veut. Je ne le connais pas beaucoup, disons… intimement. Est-ce qu'il a beaucoup d'amis, une famille?

— La seule que tu connais, c'est son ex!

— C'est vrai, puis je ne suis vraiment pas comme elle, si c'est ce genre qu'il aime, c'est foutu d'avance!

— Il n'était pas ton genre à toi non plus, et tu es tombée amoureuse de lui, réplique Justine en souriant.

— Oui, c'est vrai. Mais je ne sais même pas s'il veut qu'on sorte ensemble.

— C'est le temps qui te dira tout ça.

Sarah tape soudainement sur ses cuisses d'une manière décidée, se lève et conclut:

— C'est le temps, Justine! Le temps de partir vers ma nouvelle vie!

Elle parcourt le salon des yeux, le grand escalier qui mène aux chambres à coucher. Elle annonce:

— Je vais aller voir la chambre des petites une dernière fois.

Les deux amies montent l'imposant escalier de bois. Dans la chambre, Sarah fait glisser sa main sur une commode, caresse une tête de lit au passage, touche des boîtes ici et là. Justine n'ose briser le silence et laisse Sarah dans ses pensées. Une poupée oubliée, jambes et bras écartés, les fixe d'un regard inexpressif. Sarah la ramasse puis éclate en sanglots. La gorge serrée, Justine va vers son amie, l'enlace.

— Les petites seront bien dans ton nouvel appartement, tu verras, vous serez heureuses, dit-elle pour la rassurer.

Mais elle ne trouve pas les bons mots pour consoler son amie, qui quitte sa belle maison de Westmount pour un appartement loué. Elle qui recevait tout le temps, qui avait un train de vie quasi princier et qui faisait l'envie de tous.

— Je sais, mais cette maison représente tellement de belles années, l'endroit où les petites ont grandi, où j'ai été si heureuse avec Adam. Du moins, au début…

— Oui, je te comprends…

— Je vais m'y faire, c'est juste que ça me rend émotive, tout ça. Merci d'avoir pris congé pour moi, Justine, si tu savais comme je suis contente que tu sois avec moi aujourd'hui!

Les deux jeunes femmes se serrent dans les bras l'une de l'autre.

— Ça va bien aller, tu verras, Sarah, la réconforte encore Justine. Ah! J'entends un camion! dit-elle en allant à la fenêtre. Bien non, c'est pas le camion de déménagement, c'est le camion de poubelles!

Sarah fronce les sourcils, pose son index sur ses lèvres et déclare :

— C'est curieux, ça, j'avais pourtant déjà déménagé les trucs d'Adam il y a deux ans !

— Avec le camion de poubelles ? demande Justine, surprise.

— Bien oui ! répond-elle en souriant. Il l'avait trouvée pas mal raide, celle-là !

— Mais tu ne m'as jamais raconté ça ! s'exclame Justine.

— J'avais un peu honte, fait Sarah, c'est vrai que j'y étais allée un peu fort…

Et elle ajoute, la mine coupable :

— J'avais soudoyé les employés de la Ville pour qu'ils ramassent tout son stock et, quand je dis tout, c'est pas exagéré, si tu vois ce que je veux dire…

Les amies éclatent de rire. Le carillon les surprend alors. Elles se regardent, et curieuses, vont jeter un œil dehors. Elles voient, cette fois-ci, le camion de déménagement.

— Prête ? demande Justine, la main dans les airs pour un *high five*.

— Prête ! répond Sarah, en tapant sa main dans celle de Justine.

— À ta nouvelle vie !

Le déménageur entre, tend les papiers à Sarah. Elle les examine, s'arrête sur une facture, et enfin une autre, revient sur la première.

— Mais pourquoi deux factures ? demande-t-elle. Une de trois mille dollars et une autre de mille cinq cents ? Ça devait être juste mille cinq cents, j'aurais dû me méfier aussi !

— Un instant, ma petite dame, faut pas s'en prendre au messager !

L'homme tire son cellulaire de sa poche, explique la situation à son interlocuteur. « Hum, hum, hum, hum », fait-il. Pendant ce temps, Sarah examine encore la facture de trois mille dollars, et finalement, la montre à Justine en indiquant à qui elle s'adresse : Elliot Henry. Justine sourit. Puis le déménageur raccroche et dit :

— C'est bon, vous avez raison ! C'est une erreur, c'est bien mille cinq cents !

Il reprend vite la liasse de documents, dont il retire une facture pour la fixer sur le registre qu'il tient à la main.

— Mais… commence Sarah.

Justine lui donne un coup de coude et s'adresse à l'homme :

— C'est parfait, vous prenez les chèques ?

Sarah regarde Justine, puis enfin le déménageur.

— Oui, on prend les chèques. Vous allez voir, ma petite dame, ça sera pas long, et on va tout vous déballer ça dans votre nouvelle maison en un rien de temps ! Vous allez être installée ce soir !

— Mais comment ça, déballer… s'étonne Sarah, avant de recevoir un nouveau coup de coude pour faire taire ses interrogations, puisque « déballer » ne faisait pas partie de son contrat.

— C'est super ! coupe Justine.

Enfin, les déménageurs s'activent à vider la maison. Le travail terminé, Justine et Sarah se retrouvent seules.

— Je ne peux pas accepter ça, voyons ! s'écrie alors Sarah. C'est bien trop gros comme cadeau.

— Sarah, tu dis merci, et c'est tout. C'est beau d'être forte, mais tu dois aussi apprendre à accepter un cadeau.

— Bon, dit comme ça.

— Il opère, ce mec ! T'aurais pas trouvé ton chic, ton chèque et ton choc, toi ?

— Et si c'était cela ?

— En attendant, profites-en, car tu vois, moi, je l'ai trouvé, et il est parti à Paris.

— Il te manque beaucoup ?

— Oui, tellement !

— Bien, vas-y! fait Sarah. N'attends pas trop! Arrange-toi pour le garder, ton «Trois-C»! Ce n'est pas bon de laisser trop de temps passer!

— Hum… tu crois?

— Oui, prends un billet et fais-lui une visite-surprise!

— Je ne voudrais tellement pas le perdre!

— Alors vas-y! répète Sarah. C'est le meilleur moyen d'assurer ta place. Il ne faut pas que certaines femmes puissent même s'imaginer que Zib est libre. Il est très attirant, ne l'oublie pas!

— Oui, ça c'est vrai qu'il est attirant! Tu m'as convaincue! J'achète un billet et, s'il y a de la place, je m'embarque dès demain soir!

Elle pense soudain à sa mère et à ses histoires de Picasso au Bateau-Lavoir, et une pointe d'inquiétude vient lui nouer l'estomac.

Mieux vaut ne pas donner la chance à Zib d'être le Picasso d'aujourd'hui!

Enfin, elle déclare:

— Viens, Sarah, allons-y, une belle vie t'attend ailleurs! Tout ça est derrière toi maintenant.

— Oui, allons-y, répond Sarah tristement.

39

Recyclage de femmes au foyer !

Tout excitée, Brigitte prend un ruban à mesurer qu'elle pose devant une fenêtre et note les chiffres dans son calepin tout neuf. En première page y est inscrit le nom de Chloé, et en gros caractères : CONTRAT n° 1. Chloé reconnaît bien cette énergie nouvelle qu'elle décèle chez son amie : l'impression d'être utile, de gagner sa vie, d'être indépendante.

Des souvenirs des premières causes qu'elle a plaidées lui reviennent en mémoire, sa très grande nervosité, mais aussi l'immense fierté qu'elle avait ressentie d'accomplir quelque chose.

— À tes risques et périls, comme on dit ! la met en garde Brigitte. Je n'ai pas de diplômes et je ne prétends pas être designer !

— Je ne suis pas inquiète, j'ai vu ton condo, ça me suffit ! Une pour toutes et toutes pour une, ce n'est pas juste pour rire ! fait Chloé, en flattant la tête du petit Rambo sur son canapé fraîchement nettoyé.

Oui, lorsque vient le temps de s'entraider, les filles sont toujours disponibles !

— Hier, après ton appel, j'ai commencé à regarder ce qui se donne comme cours de designer. Au fond, j'aimerais bien me recycler dans ça. J'ai toujours aimé la déco.

— Super ! s'exclame Chloé, je suis certaine que tu serais vraiment bonne là-dedans ! Combien de temps durent les cours ?

— J'en aurais pour un an, ça me permettait même de travailler en même temps parce que les cours se donnent de soir, c'est *cool*, non ?

— Oui, super !

Son ruban à mesurer à la main, Brigitte va vers une autre fenêtre, note ses mesures et, avec une dextérité qui surprend Chloé, fait un design rapide des pièces. Tous les murs du condo sont peints de couleur « blanc-contracteur », comme ils l'étaient à l'achat, tandis que de simples stores en plastique, imitant la texture du bois, garnissent toutes les fenêtres, sans exception.

— Dis-moi ce que tu tiens à garder ici et je vais composer autour.

Aussitôt, Chloé mentionne en tête de liste le grand miroir offert par Justine et Sarah lorsqu'elle a emménagé, viennent ensuite les meubles donnés par son père, et aussi, quelques tableaux achetés à la galerie d'art de Justine. Malgré tout ça, on ne peut vraiment pas dire que son condo est décoré. Il manque l'harmonie, les détails qui font qu'une pièce semble chaleureuse, habitée joliment.

Comme un roman qu'on aurait écrit, en ne décrivant que les traits physiques des personnages, sans aborder leurs sentiments.

Brigitte ajoute sur sa tablette les articles que Chloé a mentionnés et demande :

— Pour le reste, tu me laisses libre ?

— Entièrement ! D'ailleurs, tu devrais prendre des photos de chez toi pour te faire un portfolio, j'ai plein d'amies avocates qui sont dans la même situation que moi. Tu pourrais leur sauver la vie, à elles aussi !

— Bien… pourquoi pas ? laisse tomber Brigitte. C'est sûr qu'être designer serait plus facile que de repartir à zéro en journalisme. À New York, j'adorais la décoration, faire le tour des boutiques branchées, j'ai l'œil pour ça.

Le crayon de Brigitte vole sur son carnet, dessine les meubles devant Chloé, encore plus épatée par l'habileté de son amie. Sans détacher son regard des feuilles qui se noircissent, Chloé s'extasie :

— Tu m'impressionnes vraiment, Brigitte. Sérieusement, monte un petit portfolio pour moi, je vais le faire circuler, t'auras plein de contrats, je suis certaine ! Même que je pourrais t'envoyer chez mon père, il serait vraiment dû pour rajeunir sa maison, il n'a rien touché depuis le décès de ma mère.

— Il va bien ? *I mean*, il ne veut pas refaire sa vie ?

— Non, il n'a jamais voulu. Je lui en ai déjà parlé, ça ne lui dit rien, en fait ça l'horripile, il préfère être seul.

— Tu n'as pas voulu lui présenter ta patronne, j'espère !

— Bien non, qu'est-ce que tu penses !

Puis Brigitte éclate de son grand rire. Elle déclare :

— En tout cas, je m'en occuperais bien, de la maison de ton père.

— Je n'en doute pas ! fait Chloé. Vas-y, Brigitte, ça pourrait te donner la chance de démarrer une nouvelle carrière, d'être indépendante, quoi, on ne sait jamais !

Brigitte lève son crayon, songe un instant à Christian, au risque qu'elle a pris en ayant une aventure extraconjugale dans une situation comme la sienne, alors qu'elle est sans carrière aucune. Tout ceci la fait se sentir bien vulnérable et lui donne la conviction que, quoi qu'il arrive, elle doit repenser sa vie.

Juste au cas.

— Oui, sait-on jamais, acquiesce-t-elle.

— Et je veux que tu me factures toutes tes heures !

— Non! proteste Brigitte, je vais le faire gratuitement pour toi, tu es mon amie, voyons!

— Alors si tu ne me factures rien, pas de contrat! déclare Chloé. C'est ton travail désormais, tu dois y croire, toi aussi! Et moi, je veux être ta première cliente.

— Hooon, tu es *cute*... fait Brigitte.

— Et puis, ce n'est pas comme si je n'avais pas d'argent, j'accepterais volontiers, mais je gagne bien ma vie et je paierais quelqu'un d'autre de toute façon. Ce sera bon pour toi, si jamais tu dois faire des choix...

— Oui, des choix... répète Brigitte. Rester avec Jean ou être seule.

— Je ne sais pas, Brigitte, mais ton Christian ne semble pas parti pour te faire une grande déclaration. De là l'importance de reprendre ton autonomie financière, si tu décides de te séparer, un juge pourra te donner la chance de te replacer quelque temps, il t'accordera une pension pour tes fils si tu en as la garde, mais pas pour toi personnellement, tu vois?

— Oui, je vois.

— Sarah était dans la même situation que toi, mais en plus, elle ne peut même pas avoir de pension pour ses filles.

— Bien oui, comme c'est injuste pour elle! Et pour moi aussi, en somme. C'est difficile, j'ai tout sacrifié pour la carrière de Jean, je l'ai toujours suivi, mes choix ont été les siens finalement. À l'époque, sa carrière était plus importante que la mienne, et comme on voulait des enfants, naturellement, c'est moi qui devais rester à la maison. Vivre à New York me semblait bien excitant, mais je n'ai pas réalisé qu'il y avait un prix à payer pour s'occuper d'une famille, j'ai dû dire adieu à ma carrière de journaliste. J'ai essayé de publier quelques articles là-bas, mais la compétition était trop féroce. New York, ce n'est pas Montréal. Travailler dans une boutique, c'est tout ce que j'ai pu trouver comme boulot.

— Mais peut-être que c'est ce travail qui te sauvera, qui sait?

— Oui, peut-être, fait Brigitte, songeuse.

Elle ne sait plus trop où donner de la tête. Sa relation avec Christian, même si celui-ci ne lui a pas donné ce qu'elle désirait, a eu le mérite de lui ouvrir les yeux sur la vie qu'elle mène avec son mari.

Une vie d'habitudes, exempte de folie.

Une vie monotone. Elle réalise qu'en somme, c'est bien avant son retour de la Grosse Pomme qu'elle a cessé de vibrer avec son homme.

Les deux amies sont interrompues dans leur discussion par une sonnerie de texto.

Brigitte regarde son cellulaire et s'écrie :

— *Holy shit*, Chloé ! On a la réponse à notre question !

40

Justine à Paris !

Il est sept heures trente du matin à Paris lorsque
Justine descend de l'avion. Elle a tellement hâte de
retrouver son mari ! À l'aéroport de Montréal, elle
a acheté deux flacons de sirop d'érable, un pour la
baronne, que Zib veut lui présenter, et un autre pour
son amoureux, qui adore en napper ses crêpes. Elle
vérifie qu'elle a bien ses achats dans son bagage à main.
Une fois ses valises récupérées, elle se fraie un passage à travers la foule bigarrée, puis elle saute dans un
taxi. Comme elle est excitée à l'idée de voir la mine
réjouie et surprise de Zib lorsqu'il l'apercevra, puisqu'il
n'est pas au courant de sa venue ! Il sera si content,
pense-t-elle.

Et comme Jules Renard a dit : « Ajouter deux lettres
à Paris : c'est le paradis ! »

La belle Justine compte bien profiter du paradis et se
« dédommager » pour le temps perdu depuis le départ
de Zib. Ceci représente la partie la plus importante de

son programme! Lui viennent à l'esprit toutes sortes de souvenirs coquins, comme la fois où il lui avait dit, de façon énigmatique, vouloir faire des choses hors de l'ordinaire le soir, et qu'ils s'étaient retrouvés à manger des spaghettis dans le lit avec une bonne bouteille de rouge. Toutes les fois où ils ont fait l'amour, partout où ils le pouvaient! Elle entend bien recréer la magie de leur voyage de noces en Italie.

Elle est toute à sa rêverie de se blottir dans ses bras.

Draps ou pas.

Justine est enchantée de parcourir les rues qui la mèneront vers l'atelier de Zib, elle regarde à droite et à gauche, s'émerveille de tout. Le son strident d'une sirène de police si caractéristique de Paris attire son attention – « pin-pon, pin-pon » – et la fait sourire. Elle est bien à Paris, se dit-elle. À la radio joue une vieille chanson de Charles Trenet, qui lui rappelle son voyage de noces, lorsqu'ils avaient fait une escale dans la Ville lumière avant de visiter l'Italie. Mais aussi son père, qu'elle adore, sifflotant souvent l'air de *Revoir Paris*.

Revoir Paris
[...]
Ce n'est pas un rêve
C'est l'île d'amour que je vois
Le jour se lève
Et sèche les pleurs des bois

Devant un vieil immeuble décrépit, dont les colonnes corinthiennes supportent une façade rehaussée d'un magnifique bas-relief, qui témoigne d'un passé manifestement plus glorieux, le chauffeur se gare en double file, arrête son compteur. Avec hâte, car trop pressée de retrouver son mari, Justine paie sa course en remettant un gros billet au chauffeur.

— Gardez la monnaie, fait-elle.

De peur que sa généreuse cliente ne change d'avis, ce dernier, ravi, roule des yeux cupides et met promptement l'argent au beau milieu de sa liasse de billets.

Justine s'engouffre dans l'immeuble, monte trois étages avec sa lourde valise, arrive enfin sur le palier, à bout de souffle. Devant elle s'ouvre un long couloir sombre aux murs défraîchis et salis, mais dont chaque porte est ornée de belles moulures surmontées de petits chérubins et de grappes de raisin. Elle n'est pas au Bateau-Lavoir mais, constate-t-elle par les écriteaux qui défilent devant elle, l'endroit semble habité par de nombreux artistes. Elle arrive enfin au numéro 12, sort sa petite bouteille de sirop d'érable de son sac pour que Zib la voie tout de suite, frappe à la porte mais n'obtient pas de réponse.

Merde! Moi puis mes surprises!

Elle colle l'oreille contre la porte, entend de la musique.

Mozart! Hum...

Elle cogne à nouveau et, n'obtenant toujours pas de réponse, essaie la poignée, qui cède, à son grand soulagement.

Fiou!

Elle entre sur la pointe des pieds, se dirige vers la pièce du fond, d'où la musique provient. Elle s'arrête sur le seuil, s'apprête à crier «Surprise!» lorsque le mot s'étrangle dans sa gorge. Sur le coup, elle en oublie même de respirer.

Au beau milieu de la pièce, une femme nue, aux beaux seins ronds et généreux qui se dressent fièrement vers le ciel, est couchée sur un podium dans une pose lascive, un bras relevé au-dessus de la tête. Ses jambes, étendues, sont d'une finesse à faire pâlir d'envie n'importe qui. Une longue tresse vient barrer sa poitrine d'un trait doré. Sa bouche sensuelle aux lèvres lippues entrouvertes, le regard perdu dans le vague du ciel, elle demeure parfaitement immobile.

Elle est belle comme le jour qui se lève.

Dans cette grande pièce éclairée naturellement grâce à un mur de fenestration, assis sur le bout de son tabouret et fusain à la main, Zib gratte furieusement une grande feuille posée sur son chevalet. Faisant dos à Justine, il exécute un croquis de son modèle, entouré de plusieurs autres esquisses éparses qui jonchent le sol. Des toiles reposent par terre ici et là, des pots de peinture et des tubes de couleur encombrent la pièce. Un carton rempli de fusains et une vieille boîte de conserve, dans laquelle sont fichés des pinceaux de différentes tailles, sont placés sur une petite table toute tachée de peinture. Accotées contre le mur, quelques toiles blanches attendent le maître. Aucun meuble ne garnit l'espace, si ce n'est de la table, d'un vieux fauteuil de velours rouge décati, et d'un banc, également maculé de peinture et posé devant le chevalet de Zib.

Ma mère avait raison, c'est comme Picasso au Bateau-Lavoir! J'aurais dû me méfier aussi…

Justine n'a pas le réflexe de fuir, ni même de bouger. Zib donne des instructions au modèle:

— Non, ne bouge surtout pas, détends tes épaules, oui, c'est ça, abandonne-toi…

Abandonne-toi! Comme il y va!

Affolée, Justine porte la main à son cœur qui bat à tout rompre.

Puis Zib se lève, replace la longue tresse de la fille, la rapproche du mamelon, s'éloigne, juge de l'effet. Enfin, il pousse le podium du pied, fait tourner la belle d'un quart de tour. Justine reste là, abasourdie, nullement capable de rompre la séance de pose qui se passe sous ses yeux. Cependant, dans le nouvel angle où elle se trouve, la fille aperçoit l'intruse.

— Mais c'est qui, cette nana? demande le modèle.

Zib se retourne, ouvre grands les yeux et s'exclame, en foulant la distance qui les sépare de quelques rapides enjambées:

— Chérie! Quelle belle surprise!

Il enlace Justine, qui n'a toujours pas bougé, pétrifiée sur le pas de la porte, sa petite bouteille de sirop d'érable à la main. Il la serre fort dans ses bras, la soulève de terre, la fait tourner et l'embrasse amoureusement. Justine répond peu à ce baiser, toute à ses pensées. Inquiètes.

L'histoire se répète, seuls les noms ont été changés!

Zib la dépose bientôt, lui demande:

— Mais qu'as-tu?

Si, selon Jules Renard, Paris peut être le paradis, c'est aussi la capitale des divines tentations, selon Zoé Valdès. Justine éprouve une forte bouffée de jalousie pour cette femme, convaincue que cette «divine tentation» à la tresse dorée donnerait envie à n'importe qui.

À Paris ou pas.

La femme modèle demande de sa voix claire, sur un ton onctueux et chantant:

— Dis donc, Zib, tu permets que je fasse une petite pause, là? Je suis toute fourbue, ajoute-t-elle en étirant le haut de son corps, faisant pointer ses seins un peu plus.

Ce ton langoureux, si intime, a le pouvoir de réveiller tout à fait Justine et de la faire sortir de ses gonds.

— Pas tout de suite! s'écrie-t-elle. Je suis sa directrice artistique! Gardez la pose!

Puis tout en s'avançant vers le modèle, elle ouvre sa bouteille de sirop d'érable et, arrivée à sa hauteur, la lui verse sur la tête, en s'exclamant, avec un fort accent québécois:

— Tiens! Ça, c'est du shampoing cent pour cent sirop d'érable du Québec, 'stie!

— Plaît-il? demande le modèle, qui n'a pas compris.

— Justine, voyons... fait Zib, qui s'approche pour ôter le flacon des mains de son épouse.

Mais il change d'avis en voyant le regard noir que Justine lui lance.

— Oui, ça va te plaire en ostie! lance Justine, qui fulmine encore plus. Tiens, la Française de France, tiens! Tiens! ajoute-t-elle, pendant que le précieux sirop coule dans les beaux cheveux de la femme, imprègne la tresse, donnant de chatoyants reflets à ses cheveux dorés.

Il faut quelques secondes à la fille avant de réaliser que ce liquide épais et visqueux n'a rien d'un shampoing. Elle s'écrie, horrifiée, en touchant sa chevelure :

— Merde alors ! Ça va pas, non ?

Zib ne sait plus quoi faire, il n'a jamais vu sa femme dans un tel état.

— Chérie... balbutie-t-il.

Mais il n'en dit pas plus, de peur qu'elle s'emporte davantage.

La fille se lève de son podium, enfile une jupe à ras le plaisir, un t-shirt extrêmement décolleté dévoilant tout. Enfin, presque. Une fois habillée, elle donne l'impression que tous ses vêtements ont rétréci au lavage tellement peu de tissu recouvre son corps.

Zib lui tend de l'argent, qu'elle compte aussitôt.

Furieuse, la fille part en roulant des hanches, en faisant claquer ses talons au rythme de ses pas rapides. Zib attend qu'elle ferme la porte pour demander à Justine :

— Hum ! Je vois que ce n'est pas évident pour une femme de retrouver son mari à Paris pour le découvrir en train de peindre une femme nue...

— Et la nuit, elle travaille ? demande Justine.

— Voyons, Justine ! Tu n'es pas sérieuse, là ?

— Bien, mets-toi à ma place, répond-elle, en tentant de contrôler le trémolo dans sa voix.

— Mais c'est mon modèle ! se défend Zib.

Puis il prend son petit air canaille, les yeux pétillant de malice, et il ajoute :

— Est-ce que tu ne serais pas jalouse, toi, par hasard ?

— Zib... c'est pas drôle, moi qui voulais te faire une surprise !

— Mais tu m'as fait une surprise ! Et je suis très heureux !

— Oui, mais toi, tu aimerais ça me trouver nue avec un autre homme ?

— Je le tuerais sur-le-champ, répond Zib, en enlaçant fermement Justine. Tu oublies un petit détail, ma chérie, je suis un artiste ! Peindre des modèles qui viennent poser pour moi, ça fait partie de mon métier.

— Oui, je sais, mais ça m'a fait mal de te voir comme ça.

Zib la soulève de terre, lui fait un clin d'œil et lui dit en désignant le podium où son modèle était allongée quelques minutes auparavant :

— Autant profiter du sirop d'érable, non ?

— Mmm ! Ça, on ne l'a jamais essayé !

— Je t'aime, petite coquine, tu ne le sais pas ?

— Alors, prouve-le-moi, fait Justine, d'une toute petite voix.

41

Les hommes
aiment-ils les bitches?

Depuis le fameux soir où elle a envoyé au Reine-Elizabeth sa messagère, qui a accepté si gentiment de se plier à la mise en scène de Chloé, Brigitte ne sait plus quoi faire devant l'insistance de Christian, qui tient à tout prix à la revoir. D'un côté, elle en a envie, car refaire l'amour avec lui la tourmente au plus haut point, mais elle arrive à résister en se disant qu'elle perd sa vie à désirer quelque chose qu'il ne veut pas lui offrir. D'un autre côté, elle souhaiterait malgré tout profiter de l'occasion pour mettre un terme définitif à leur relation.

Le déshabillé, qui avait éclaté sous toutes ses coutures, le maquillage outrancier, les menottes, le fouet, sans parler de *Fifty Shades of Grey*, ont séduit Christian, a-t-elle déduit à partir des textos enflammés qu'il lui a envoyés.

Elle relit une fois de plus le dernier:

«Coquine, tu m'as fait craquer, comme les coutures du beau déshabillé que je t'avais offert!! Dommage, j'aurais aimé te voir le porter au lieu de le trouver sur l'horrible épouvantail que tu m'as envoyé à ta place. J'aime les femmes qui ont de l'humour et du caractère! Je te désire encore plus, mercredi soir, 19 h, comme d'hab.»

T'as eu aussi la trouille, et ça, tu ne le dis pas...

Les filles ont perdu leur pari contre Chloé, qui était la seule à penser que ce scénario plairait à l'amant de Brigitte; elle a donc collecté ses trente dollars. L'amant a adoré, et se montre plus émoustillé encore devant tant d'audace.

Trop curieuse à l'idée de le revoir après tout ça, Brigitte décide que, oui, elle ira le rejoindre une toute dernière fois.

* * *

De nouveau dans la chambre baptisée le «brownie» de leur motel miteux – puisque les deux fois où il a invité Brigitte au Reine-Elizabeth ne lui ont décidément pas porté chance –, Christian, qui est arrivé en avance, s'affaire à préparer son petit nid d'amour. Il a déjà ses habitudes. Il plie soigneusement l'affreux couvre-lit orangé et brun, puis rabat le drap en un parfait triangle qu'il lisse du plat de la main. Une fois la bouteille de vin ouverte, il déballe les coupes recouvertes d'un sachet de plastique, ressort de la chambre pour acheter de la glace. Il revient en sifflotant, met la bouteille au frais. Enfin, il s'assoit sur le lit avec son cellulaire, prend ses courriels pour tromper l'attente.

Brigitte, quant à elle, est partie de chez elle, après avoir allégué un autre souper avec ses amies, mais pour la première fois, ne s'est pas préparée minutieusement comme elle le faisait auparavant.

Il me prendra comme ça, that's it.

Une forme de détachement, peut-on penser.

Enfin, pour une femme.

Dès son arrivée, Christian se précipite sur elle, la prend dans ses bras, glisse déjà la main dans son soutien-gorge, la pousse sur le lit, gentiment, mais avec fermeté. Juste à la pensée de revoir son amante, Christian avait déjà une forte érection.

Holy shit! L'histoire de la bitch ne l'a pas refroidi! Baise avec lui une dernière fois, Brigitte, pourquoi ne pas en profiter? Laisse-toi aller, tu le largueras après!

Dans son for intérieur, bien qu'elle s'en soit défendue un temps, Brigitte s'imaginait pouvoir vivre une grande histoire d'amour avec Christian.

Mais la réalité lui est apparue durement.

Puisqu'il ne lui a pas proposé de tout laisser pour elle.

Sa décision est prise, c'est la dernière fois qu'elle revoit Christian. Elle veut profiter de ses étreintes, histoire de fantasmer une toute dernière fois.

Oui, rêver que tout aurait pu être différent.

À cette pensée, au beau milieu d'ardents ébats, et à l'insu de Christian, elle essuie furtivement une larme.

Christian, tout à son désir, ne se rend compte de rien. Il lui murmure à l'oreille :

— J'aime quand tu es *hot* comme ça, tu me rends fou, Brigitte !

— Fou d'amour ?

— Fou de toi !

« Fou de toi », ce n'est pas fou d'amour...

— Tu as tellement de beaux seins !

Bon, les seins maintenant! C'est près du cœur, mais c'est tellement pas ce que je veux entendre! Profites-en, Brigitte, c'est la dernière fois que tu jouis dans les bras de cet homme.

Après ces chaudes retrouvailles, Christian se rapproche pour la prendre une autre fois, mais Brigitte met brusquement un terme à ses baisers passionnés, et se réfugie dans la douche. Christian la rejoint, lui demande :

— Qu'as-tu?

— Rien.

Christian prend la savonnette des mains de Brigitte pour lui laver le dos. Elle la lui retire et dit:

— Laisse…

Puis elle se savonne vigoureusement pendant que Christian déballe une autre savonnette. Brigitte reste sous le pommeau de la douche, ne se pousse pas pour permettre à Christian de se rincer. Elle sort de la douche avant lui, s'essuie, s'habille en silence. Christian sort peu après elle, s'habille à son tour, refait son nœud de cravate.

— C'est fini, Christian, ne m'appelle plus, déclare Brigitte.

— Mais pourquoi? Je ne comprends pas!

— Il n'y a rien à faire, on n'est pas sur la même longueur d'onde.

La voix de Brigitte se casse, mais elle ajoute:

— Ne m'appelle plus, c'était le soir de notre dernière chance. C'est fini.

— Ne fais pas ça, Brigitte, je tiens trop à toi, je t'ai dans la peau! proteste Christian.

— Dans la peau, Christian, mais pas dans le cœur, laisse tomber Brigitte en fermant la porte derrière elle.

Puis elle court…

Elle court dans le corridor.

Vers une autre vie, peut-être une vie bien rangée avec son Jean, son mari. Elle s'engouffre dans sa voiture. Son portable sonne, elle regarde l'afficheur et voit le nom de Christian. Elle ne répond pas, mais texte: «Adieu, Christian, c'est bien fini. Ne m'appelle plus jamais.»

Enfin, elle laisse couler ses pleurs librement, ne se formalise pas que son maquillage se répande maintenant sur ses joues. Elle s'en fout. Cette tranche de vie est bien réglée. C'est F-I, FI, N-I, NI, FINI!

Sois forte, un amant n'est pas la solution à un mariage qui bat de l'aile.

Elle s'arrête à un coin de rue, supprime le nom de Christian dans les contacts de son cellulaire, mais aussi dans ses courriels et textos.

42

Quand on joue avec le feu

« Corridor armoire à balais dans deux minutes », lit Sarah sur son portable.

Hum… armoire à balais… Qu'est-ce qu'il trame encore, celui-là…

Elle se rend à l'endroit « idyllique » choisi par Elliot, c'est-à-dire dans ce corridor où seul l'homme de ménage va puisqu'il ne mène qu'à l'armoire à balais. Sarah a pardonné à Elliot de lui avoir caché qu'elle pouvait perdre son emploi si elle sortait avec le patron. Elle a décidé d'en assumer les risques désormais. Elliot, de son côté, est prêt à affronter toutes les menaces de son ex dans le cas où elle découvrirait la vérité. L'amour qu'ils éprouvent l'un pour l'autre est le plus fort, ils ne peuvent arrêter le mouvement qui les emporte.

Lorsque Sarah arrive près d'Elliot, elle a pour lui un élan d'amour si soudain qu'elle se jette dans ses bras.

— Ah ! Sarah ! fait-il en la serrant tout contre lui.

— Tu m'as manqué, dit-elle.

— À moi aussi, tu m'as manqué, répond Elliot.

Il pose ses lèvres sur les siennes, et il l'embrasse passionnément.

— Attends… chut ! ordonne-t-il soudain. J'ai entendu du bruit, quelqu'un vient dans le corridor.

— Merde ! C'est Natasha, chuchote Sarah.

— Vite ! dit Elliot, en prenant la main de Sarah pour l'entraîner dans l'armoire à balais. Il ne faut pas qu'elle te voie avec moi ici.

Sous leurs rires étouffés, ils continuent de s'embrasser de plus belle entre chiffons, seaux, serpillières et balais. Pour le romantisme, il doit y avoir mieux, mais cet endroit semble à Sarah aussi beau que le paradis. Elliot n'a toujours pas demandé à la voir un soir où ils pourront être libres et refaire l'amour.

Ils entendent bientôt des voix provenant de l'autre côté de la porte.

Les deux amoureux suspendent leur souffle, tendent l'oreille.

— Bien… où sont-ils ? entendent-ils Natasha demander d'un ton sec.

— Je les ai vus, répond Suzie-la-chipie, ils s'en allaient là, ils sont partis chacun de leur côté.

— Vous voyez bien qu'il n'y a personne ici ! Ça fait plusieurs fois que vous insinuez que mon ex couche avec Sarah. La prochaine fois que vous me dérangerez pour rien, vous serez virée !

— Je vous jure qu'ils sont allés là, je les ai vus ! Je suis certaine qu'ils couchent ensemble !

— S'ils couchent ensemble, ce n'est certainement pas dans le corridor de l'agence ni dans une armoire à balais !

Elliot et Sarah se regardent et poussent un soupir de soulagement.

— Attendez ! Ne partez pas ! Il faut qu'ils soient là ! crie Suzie en ouvrant bien grande la porte, devant

Elliot et Sarah, médusés, qui ne peuvent pas nier l'évidence.

— Venez! Ils sont ici!

Natasha rebrousse chemin alors qu'Elliot et Sarah sortent de leur cachette. Surprise, la femme vautour pose son regard sur l'un et sur l'autre, comme si elle cherchait une autre explication à la présence de son ex-mari avec une employée dans l'armoire à balais. Finalement, tremblant de tous ses membres, elle pince ses lèvres en forme de parenthèse couchée, puis s'écrie en roulant des yeux furibonds:

— Vous êtes virée!

— J'espère que tu es contente, maintenant! lance Sarah, à l'intention de Suzie.

Et se tournant vers Natasha, elle ajoute:

— Je suis désolée. Je peux tout vous expliquer.

Mais au fond, expliquer quoi? Qu'elle et Elliot se sont joués d'elle en inventant toute une histoire pour lui faire croire qu'ils ne se connaissaient pas, afin qu'elle accepte d'embaucher Sarah?

— Tu n'as rien à expliquer, dit Elliot.

— En effet! enchaîne Natasha. Prenez vos affaires et foutez-moi le camp d'ici!

— Non! la contredit Elliot, tu n'as pas le droit de la virer! D'ailleurs, Sarah est excellente, rappelle-toi le contrat de la lunetterie, c'est grâce à elle qu'on l'a obtenu!

— Je m'en fous, du contrat! Prenez vos affaires et allez-vous-en! insiste Natasha.

— Sarah ne partira pas! déclare Elliot. Si tu la vires, je la prends dans mon service!

— Dans ton service! Fais-moi rire!

— Il n'y a rien de drôle là-dedans, ça suffit maintenant, assez discuté. Sarah, reste!

Natasha hausse l'épaule, inspire un petit coup sec, comme si elle faisait une ligne de coke, d'ailleurs c'est exactement ce qu'elle a envie de faire.

— Suzie, Sarah, retournez à vos bureaux, j'ai à parler à Natasha, ajoute-t-il. Il n'y a personne de viré ici, faites votre travail, c'est tout ce que je vous demande !

Tête baissée, les deux femmes obtempèrent aussitôt. Dès qu'elle n'est plus à portée de voix, Suzie ricane en jouant nonchalamment avec une mèche de ses cheveux bouclés.

— Un jour, dit Sarah, un jour tu paieras pour tout le mal que tu fais autour de toi.

Tout est silencieux dans le corridor de l'armoire à balais. Natasha pleure sa rage tandis que son rimmel coule, créant des halos bistrés sous ses yeux. Elliot passe les mains dans son dos, s'appuie contre le mur en faisant reposer son poids sur sa jambe droite. Il dit :

— Bon Dieu, Natasha, rends-toi à l'évidence, tu dois arrêter de faire de la coke comme ça ! Tu ne te vois pas ? Tu as perdu complètement le contrôle !

— On avait un contrat, tu m'avais promis ! réplique Natasha, en pleurant de plus belle.

— Oui, je sais, mais ça, c'était avant que je rencontre Sarah.

Elliot la prend dans ses bras et l'implore :

— Tu dois cesser de te droguer comme ça, tu commences à nuire à l'entreprise.

Natasha le repousse soudainement et, en essuyant ses larmes avec la manche de son pull, elle lance :

— C'est ça, tu veux m'évincer et reprendre la compagnie pour te la couler douce avec elle ?

— Non ! Tu n'y es pas du tout ! Je m'en fais pour toi !

— Ne sors pas les violons maintenant ! rétorque Natasha en éclatant d'un rire mauvais.

— C'est sérieux, je te le dis, si tu essaies de nuire à Sarah, c'est à moi que t'auras affaire. Sarah est bonne, elle reste ! Je la prends sous ma responsabilité !

— Pour l'entreprise ou pour ton usage personnel ?

— Ce qui se passe avec elle personnellement n'a rien à voir avec l'entreprise. Rends-toi à l'évidence, Natasha, et pose-toi la question : c'est quand la dernière fois que tu as obtenu un contrat ?

— Tu vas regretter ces paroles, ça, je te le jure! menace Natasha. Et ne te fais pas d'illusions, je ne te ferai pas de cadeaux!

43

C'est si simple, la vie! Hum…

Après son abominable journée au bureau, Sarah va chercher Léa et Camille chez sa mère, qui a bien voulu les ramener chez elle. Si le niveau de vie de Sarah a baissé radicalement, le bon côté des choses, c'est qu'elle s'est rapprochée d'Annie sur tous les plans. Depuis sa séparation, elles sont devenues très proches. Sarah perçoit sa mère comme une alliée, une amie. D'ailleurs, on dirait qu'elle a encore rajeuni. En tout cas, les années ne semblent pas avoir de prise sur elle. Ses cheveux blonds, tirés vers l'arrière et attachés avec une élégante boucle, ses magnifiques yeux verts, sa taille élancée – qui fait l'envie de toutes ses amies –, son petit côté coquin et assumé lui donnent un je-ne-sais-quoi qui ravit les hommes. Et il faut bien le dire aussi, l'amour, qui lui sourit de nouveau, contribue sans aucun doute à la garder si jeune. À soixante ans, elle plaît encore.

Sarah serre fort ses petites contre elle, leur donne un baiser, s'informe de leur journée.

— Bien, répondent les petites, pressées de retourner à leur émission, qu'elles ont laissée pour venir embrasser leur mère.

— Elles ont été sages? demande Sarah.

— Des amours, répond Annie. Tu restes un peu? Le souper est prêt. Tu n'auras qu'à t'occuper des devoirs en rentrant chez toi.

— Bonne idée!

— Est-ce que tu as fini de tout ranger? demande sa mère en sortant des napperons.

— Oh! Non, c'est comme vouloir faire rentrer quatre éléphants dans une Smart!

La réponse de sa fille fait rigoler Annie. Sarah est contente de rester un peu avec sa mère. L'idée de retrouver son bordel, toutes les choses qu'elle n'arrive pas à ranger faute de place, ne lui plaît guère. Et surtout, elle a envie de discuter de tout ce qui lui est arrivé au cours de la journée.

Tout en dressant la table, Sarah raconte ses mésaventures dans l'armoire à balais avec Elliot pendant que sa mère enfile de grosses mitaines aux motifs léopard pour remettre la lasagne au four.

— Quelle idée aussi de s'embrasser partout dans un bureau! dit Annie en étouffant un rire. Mais je dois avouer que c'est hyper romantique!

— Oui, mais vois où le romantisme m'a menée!

— Ça devait arriver tôt ou tard, Sarah. Il t'aime, cet homme. Et qu'a-t-il répondu à tout ça, lui?

— Qu'il me prend à son service!

— Bon, tu vois, tout s'arrange.

— Mais, maman, il n'y a rien d'arrangé! Natasha sera tout le temps là, elle est propriétaire, elle aussi.

— Pas grave, tranche Annie. As-tu enfin fait l'amour avec lui?

— Non, mais là, j'avoue que je n'en peux plus, je commence à faire des rêves érotiques!

— Moi, j'aurais fait l'amour avec lui depuis longtemps! Qu'est-ce que tu attends pour les vivre, tes rêves!

— Bien, il ne me l'a pas encore demandé !

— Tu penses que je devrais faire cuire du brocoli avec ça ? demande Annie.

Sarah fronce les sourcils un instant, surprise que la conversation ait dérivé vers les brocolis aussi vite. Sa mère se met déjà à la tâche avant même d'avoir entendu sa réponse :

— Oui, bonne idée, pendant que la lasagne finit de cuire.

— Il n'est pas fou, cet homme, reprend Annie en coupant des bouquets de brocoli comme si de rien n'était. Il attend le bon moment, il sait y faire ! Et puis… fait-elle songeuse, peut-être qu'il attend que toi, tu l'invites !

— Peut-être, maman, mais pour l'instant, il y a plus urgent. Je suis prise entre deux feux, je vais devoir donner ma démission. Même si je travaille pour Elliot, Natasha ne me lâchera pas, je le sais, elle va être sur mon dos constamment !

— Comment ? Donner ta démission ?

— Mais, maman, je n'ai pas le choix, comment veux-tu que je travaille ? Ça sera invivable !

— C'était déjà invivable avec ta boss puis l'autre chipie, la Suzie quelque chose, ça ne peut pas être pire. Tu vas m'écouter, tu restes là, tu fais ton job, et t'attends !

— C'est pire maintenant puisqu'elle sait, maman.

— Ce n'est pas ton problème ! Laisse-le se démerder avec ça !

— Ah ! Maman, toute cette histoire, c'est tellement compliqué, j'ai besoin d'un peu de tranquillité dans ma vie.

— Mais pourquoi ? Qu'est-ce que tu vas faire de la tranquillité, dis-moi ?

— Me reposer !

— Te reposer ? À ton âge ? Voyons donc ! Tu n'es pas en convalescence que je sache !

— Maman, ce n'est pas drôle du tout ! Et puis, je suis décidée, même si je réussis à garder mon emploi, je vais dire à Elliot que c'est fini, cette histoire entre lui et moi, comme ça, Natasha n'aura plus rien à lui reprocher. Elliot ne sera pas pris entre deux feux comme il l'est maintenant. Il n'y aura plus de problème, tout sera réglé !

Annie pousse un long soupir et dit :

— Cet homme, ce... comment il s'appelle déjà, ton membré ?

— Maman... Quelle sorte de mère est-ce que j'ai, moi ! Il s'appelle Elliot, maman, Elliot !

— Enfin... Elliot, qu'est-ce qu'il t'a dit la nuit que tu as couché avec lui ?

— Euh...

— Si tu ne t'en souviens pas, je vais te le dire, moi : il t'a dit qu'il était un homme de solutions, so-lu-tions, Sarah ! Tu sais ce que ça veut dire ? Bon, bien, laisse-le s'occuper de son ex ! Toi, je te l'ai dit, tu n'as qu'à aller travailler, faire ce que tu as à faire, puis c'est tout. Mon Dieu que tu compliques toujours tout !

— Oui, mais toi, tu simplifies un peu trop, là...

— Non, je ne simplifie pas, tu as assez de problèmes comme ça, laisse-le régler ça et couche avec lui ! De toute façon, tu ne peux rien faire d'autre ! Et en prime, je garderai les petites à dormir ici, pour cette fois-là du moins. Fabien pourra bien se passer de moi pour une nuit !

— Tu couches avec lui toutes les nuits ?

— Presque, fait Annie en enfilant ses mitaines pour sortir la lasagne du four. C'est qu'il a la libido dans le plafond, celui-là, et sans petites pilules bleues !

Sarah pense qu'elle devrait prendre exemple sur sa mère et se simplifier la vie un peu. Annie sort alors la tête du four, dépose la lasagne sur le comptoir et s'exclame, les deux mitaines léopard dans les airs :

— Et tout un gouvernail, à part de ça !

Sarah pouffe de rire. Décidément, Annie n'en finit plus de la surprendre avec son répertoire de mots pour une seule chose !

— Et ton *toy boy*, maman, est-ce qu'il s'en est sorti ?

— C'est bien fini. Depuis qu'il sait qu'il y a un autre homme, il me laisse tranquille.

— Un de moins ! T'as pensé à donner des cours de drague ? Tu serais super bonne là-dedans ! Je serais ta première élève !

Annie rit de bon cœur alors que Sarah appelle ses petites pour le souper.

Sarah s'assoit à la table, songe à tout ce que sa mère lui a dit.

— Cesse de t'en faire, insiste Annie, en voyant sa fille perdue dans ses pensées. La vie est bien trop courte pour ça !

— Tu as raison, maman, c'est moi qui suis trop engoncée dans mes principes ! Je laisse Elliot se démerder avec l'histoire du bureau. D'ailleurs, la fin de semaine prochaine, il y a la course à relais pour l'Hôpital Sainte-Justine, je ne peux pas donner ma démission là, c'est moi qui ai tout organisé et j'y tiens, à cet événement. Tu peux garder les petites ?

44

Le bowling ou le bingo,
tant qu'à y être !

Le lendemain de son rendez-vous avec Charles, même si ses doigts l'avaient démangée de lui envoyer un petit texto, Chloé s'était retenue à deux mains.

Pas de texto, pas de téléphone, pas de courriel.

Le silence total.

Les règles édictées par les sorcières de l'amour avaient été suivies à la lettre. Deux jours. Qui lui avaient paru une éternité. Puis, n'y tenant plus, elle était allée promener Rambo dans le parc près de chez Charles, faisant cent fois le tour de la fontaine plutôt que d'emprunter le sentier, dans l'espoir de le voir. Mais ses démarches s'étaient avérées infructueuses. Elle ne l'avait pas vu et ne pouvait tout de même pas aller sonner à sa porte ! Elle avait vérifié ses messages de nombreuses fois dans la journée, les piles de son portable ne s'étaient jamais déchargées aussi vite. Dès que la charge baissait un peu, elle le branchait, pour s'assurer qu'il ne la laisse pas tomber au beau milieu d'une conversation. Son souper chez Boulud avait été une réussite sur toute la ligne. Charles l'avait raccompagnée jusque chez elle. Il l'avait embrassée sur le pas de la porte. Elle savait qu'elle n'avait qu'à dire une parole pour qu'il entre. Mais elle l'avait gentiment repoussé et l'avait vite congédié avant de changer d'avis.

Mais voilà que, quatre jours plus tard, un kilo en moins, dix ongles rongés jusqu'à la racine, les nerfs tendus comme les cordes d'un violon, Chloé, qui n'en peut plus de se morfondre en attendant l'appel de Charles, entend la sonnerie de téléphone qu'elle lui a attribuée exclusivement. Elle se précipite sur son portable, prend une voix posée alors qu'elle a juste une envie, c'est de crier : ENFIN !

— Ça va ? demande-t-il.

— Oui, ça va.

— Je me demandais si tu avais envie de m'accompagner au bowling.

— Au bowling ? demande Chloé, surprise.

— Oui, tu sais jouer ?

— La dernière fois que j'ai mis les pieds dans une salle de quilles, c'est quand j'étais toute petite et que mon père m'emmenait avec lui pour m'amuser. Ça me rappelle de bons souvenirs.

— Alors, tu viens ?

— Le Booooulud et après le booowling, hum ! Tu as de la suite dans les idées, toi !

Charles pouffe de rire et dit :

— C'est la patronne des RH, elle a organisé une sortie de bureau, je n'ai pas vraiment le choix, il faut que j'y aille, et j'ai pensé que ce serait plus *cool* si tu m'accompagnais. Tu es libre ce soir ?

Il ne faut pas qu'il pense que je suis libre comme ça, à la dernière minute, je ne peux pas accepter, merde ! Non ! Non !

— Oui, je suis libre, répond-elle.

— Super ! Je passe te prendre au bureau ?

Je ne peux absolument pas! Je ne suis vraiment pas habillée pour le bowling, merde! Et d'ailleurs, ça fait vingt ans que je n'ai pas joué! Insensé!

— Oui, d'accord, à quelle heure?

— Dix-huit heures!

Dix-huit heures! Je dois préparer ma cause pour demain. Et puis, comment faire? J'ai Rambo avec moi. Impossible!

— C'est super, je n'ai justement rien d'urgent pour demain matin.

Je me lèverai à quatre heures, j'arriverai plus tôt au bureau, et ça me donne juste le temps d'aller porter Rambo à la maison!

— À tantôt, fait Charles sur un ton enjoué. Et ne mange pas, il y aura un traiteur là-bas!

— Ah! Ça va, répond Chloé.

Aussitôt qu'elle raccroche, elle endosse son manteau, attrape son sac à main à la volée, dans lequel elle dépose son adorable petit chien encore tout endormi, et crie à son adjointe au passage:

— Je reviens dans vingt minutes! J'ai une urgence.

Cette dernière lui fait un clin d'œil. Chloé saute dans un taxi, en profite pour texter à ses amies.

«Je vais au bowling avec Charles!!»

«Au boooowling?» répondent-elles tour à tour.

«Je vous raconterai, je n'ai pas le temps, vos potions magiques ont fait effet! À +»

«C'était la bonne dose alors! Il ne pourra plus vivre sans toi!» décrète Justine.

Arrivée chez elle, Chloé demande au chauffeur de l'attendre, elle entre en courant, embrasse Rambo sur le museau en le déposant dans sa couchette, troque sa jupe étroite contre un pantalon, met son plus beau chemisier, redescend en courant, saute dans le taxi.

Ouf!

* * *

À dix-huit heures, fraîchement maquillée, ses cheveux maintenus en un gros chignon lâche sur son cou, elle attend dans son bureau lorsque son cellulaire sonne.

C'est lui!

— Je t'attends devant ton édifice, dit Charles.

— J'arrive!

Elle empile ses dossiers sur son bureau, éteint son ordinateur, met son manteau, va prendre l'ascenseur en courant. Son cœur bat la chamade, à cause de l'homme au sourire si engageant, aux yeux empreints de magnétisme, mais aussi à cause de la course folle des dernières heures.

Pour ne pas avoir l'air trop ou pas assez.

Pour s'assurer de ne pas brûler les étapes.

Pour s'attacher enfin un homme, pas n'importe lequel, mais bien l'homme de ses rêves.

Aussitôt sortie de l'ascenseur, elle repart à la course dans le long corridor, parvient aux portes, mais s'arrête brusquement pour sortir calmement de l'édifice, afin de ne pas lui montrer qu'elle court pour le rejoindre, comme s'il n'y avait rien de plus normal que d'aller jouer au bowling avec lui.

Dès qu'elle franchit les grandes portes battantes qui mènent dehors, un vent violent lui coupe le souffle, fait voler ses cheveux de tous côtés.

Ma belle coiffure, merde!

Elle repère Charles au coin de la rue.

— Ouf! Il fait un de ces vents! dit-elle en s'engouffrant dans sa voiture.

Chloé se sent embarrassée, elle ne sait pas trop si elle doit l'embrasser. Son sourire lui en donne tellement envie. Elle voit qu'il se penche vers elle. Elle arrondit les yeux.

Il va m'embrasser!

Chloé s'approche à son tour, se perd dans ses yeux et lui tend les lèvres lorsqu'on klaxonne derrière eux.

— Hum ! Je n'ai pas de chance ! dit Charles, en embrayant et en faisant vrombir son moteur.

Merrrde ! Moi non plus, je n'ai pas de chance !

Chloé baisse la visière et replace ses cheveux dans son chignon, que le vent s'est amusé à défaire.

— Tes cheveux sont magnifiques, laisse-les libres, veux-tu ? fait Charles en posant une main sur le genou de Chloé.

Cette dernière reste un peu figée. Que faire de cette main ? se demande-t-elle. Elle hausse les sourcils. Hésite. Comment réagir, devrait-elle mettre sa main sur la sienne ? À force de ne pas vouloir avoir l'air de ci ou de ça, elle finit par douter de tout.

Bien coudonc, c'est pas normal, il a l'air normal ! Méfie-toi, Chloé, ça doit être le pire séducteur que tu as rencontré ! Pas de couchette, même le deuxième soir, sinon, bye bye la visite !

Dans la voiture, ils discutent de dossiers, de points de droit. Chloé en profite pour lui parler d'un cas particulier, un divorce où il y a beaucoup d'argent en jeu, lui demande son avis.

Ils échangent ainsi sur la route. La main de Charles se promène entre le bras de vitesse et le genou de Chloé. Le temps a passé à vive allure, Chloé a baissé sa garde sans s'en rendre compte. Mais les fées veillent sur elle. Elle se ressaisit, sourit en pensant à ses amies.

Attention, la partie n'est pas gagnée, si tu veux qu'il t'aime, il faut te l'attacher, cet homme, avant de l'attacher après ton lit, lui faire des choses, des choses...

Au bowling, Charles la présente à tous comme étant une amie avocate. Elle reconnaît plusieurs de ses consœurs, confrères, se sent immédiatement à l'aise en compagnie de ces gens. Si ce n'est qu'ils se trouvent au bowling et que ses séances avec son père lui semblent bien lointaines. Des serveurs se promènent déjà parmi les équipes, offrent du vin, tandis que d'autres tendent des plateaux d'amuse-gueules.

Une avocate passe près de Chloé et lui demande :

— Qu'est-ce que t'as fait pour l'avoir, celui-là ?

— C'est juste un copain, répond Chloé.

— Je ne l'ai jamais vu accompagné dans un party de bureau, fait l'autre.

Chloé tente de cacher sa joie.

— Fais attention à toi, c'est pas le genre d'homme dont une femme veut tomber amoureuse ! la prévient l'avocate.

Le visage de Chloé se décompose alors que Charles arrive, la prend par la taille et lui dit en l'entraînant vers l'allée de quilles :

— C'est à ton tour de jouer ! Viens ! Il faut que tu impressionnes mon patron, j'ai besoin d'une augmentation, plaisante Charles.

— C'est que je ne me souviens plus de rien !

Charles choisit une petite boule de quilles et, en souriant, déclare de façon charmante :

— Celle-ci est la meilleure puisque je l'ai choisie exprès pour toi, tu vas voir, j'ai un don pour ça !

Puis il souffle dessus, la frotte contre la manche de sa chemise et la remet entre les mains de Chloé. Ils se postent devant l'allée, Charles se place derrière elle, amorce le mouvement avec elle contre son dos.

Chloé veut mourir.

Enfin, il se détache et dit :

— À toi maintenant !

Chloé se concentre, prend son élan, lance, sautille sur place pendant que la boule se dirige au centre. Elle crie bientôt en voyant des quilles tomber les unes après les autres, puis elle hurle de plus belle lorsque la dernière quille vacille sur son socle et finit par choir à son tour. Elle se tourne vers Charles qui l'acclame sans retenue et lui tend la main pour faire un *high five*. Chloé blottit sa main dans la sienne en se trémoussant et en criant sa joie.

Les abats se multiplient, qui annoncent les ébats, car, comme a dit Stendhal, si vous faites rire une femme, elle est déjà à moitié dans votre lit. Alors, quand elle est morte de rire devant tant d'abats miraculeux…

Chloé et son prof s'amusent comme des fous. Chloé prend des paris avec des avocats, rit à gorge déployée. Elle est entourée d'hommes qui la mettent au défi. Elle tient les paris, gagne presque toujours. Elle est devenue la star de la soirée.

La star du bowling.

Prise dans ses paris, elle ne s'est pas rendu compte que Charles n'est plus à ses côtés depuis un moment. Elle le cherche, le voit avec une avocate. Cette dernière fait glisser la main sur son bras puis lui lance un regard sans équivoque tout en lui faisant signe comme si elle voulait entraîner Charles à l'extérieur. Chloé sent ses jambes se dérober sous elle et devient soudain bien vulnérable. Toutes ses appréhensions se concrétisent juste sous ses yeux.

Être avec un si bel homme équivaut à avoir le cœur piétiné à longueur d'année.

Et à vivre toujours dans la peur de se le faire voler.

Mais les hommes dangereux ne courent pas les rues, et ce sont eux et seulement eux qu'aiment vraiment les femmes ! Les autres, elles font avec ou font semblant. En attendant d'en rencontrer un. Dangereux.

Elle a une pensée pour Sébastien, qui semble désormais prêt à s'engager, qui est beau aussi, sans posséder cette aura de charme qui flotte autour Charles, à laquelle les femmes ne résistent pas.

Elle se ressaisit enfin, s'excuse auprès des avocats qui l'entourent, feint d'aller aux toilettes, mais elle se rend à la réception, récupère ses effets au vestiaire et repart en taxi.

Pendant le trajet du retour, elle repense à Sébastien, à tous ses textos auxquels elle n'a pas répondu.

45

Le mari,
sans l'amant comme piment?

Brigitte essaie de repenser sa vie. Sans la folie de ses rendez-vous hebdomadaires avec son amant.

Qui lui manque énormément.

Toujours décidée à en finir avec cette relation, elle ne se laisse pas tenter par d'autres rencontres, bien qu'elle sente parfois dans son corps une envie si forte de lui, de ses mains sur sa peau, sur ses seins, qu'elle en éprouve des vertiges. Elle aimerait lui dire «Non, je ne veux plus te voir», le repousser encore et encore pour qu'il ait mal comme elle. Qu'il la rappelle et qu'il lui dise enfin : «Brigitte, je ne peux pas vivre sans toi.» Il lui arrive même de l'imaginer, mais ça, c'est dans ses plus folles pensées, lui demandant : «Épouse-moi.»

Dix fois, vingt fois, trente fois par jour, elle vérifie si elle n'a pas eu un message. Au fond d'elle-même, elle espère encore qu'il réalisera que la vie sans elle est devenue impossible. Mais elle n'a pas à dire non. Christian ne rapplique plus.

Sa folie avec lui ne lui a permis que d'acheter du temps.

Du temps emprunté à un mariage qui bat de l'aile.

Le contrat de décoration qu'elle a obtenu de Chloé ainsi que les possibilités que celle-ci lui a fait miroiter lui donnent un soupçon d'indépendance. D'ailleurs, elle n'en peut plus de ne pas travailler, des activités pour tuer le temps, elle a besoin de se refaire une vie. L'idée de mettre à profit ses années de travail à New York dans les boutiques tendance se fraie de plus en plus un chemin dans sa tête. Elle a même pensé qu'elle pourrait ouvrir un commerce puisqu'elle connaît tous les fournisseurs branchés.

Ce jour-là, il n'est que quinze heures trente lorsque Jean rentre à la maison après un lunch d'affaires qui s'est éternisé. Brigitte fait une nouvelle tentative.

— Jean, ça te dit qu'on aille souper au restaurant juste tous les deux ?

— Pas ce soir, ma chérie. Je suis crevé, je mangerais plutôt léger, surtout après le gros lunch que je viens de me taper.

— Tu peux manger léger aussi au restaurant, prendre une salade, et après, on pourrait aller au cinéma ?

— Humm… c'est une idée. Mais vraiment, j'aimerais mieux que tu nous fasses quelque chose de léger ici, je n'ai pas envie de sortir.

— Mais tu n'as jamais envie de sortir ! s'exclame Brigitte.

— Je suis fatigué ces temps-ci.

« Ces temps-ci », ça fait dix ans que tu es fatigué…

— Jean… s'il te plaît, allons souper, je veux qu'on parle.

— Encore ?

— Comment, encore ?

— L'autre soir aussi tu voulais parler, puis finalement tu m'as empêché de dormir. S'il y a quelque chose, tu peux me le dire maintenant, pas besoin d'aller souper pour ça, voyons !

— C'est qu'au restaurant on sera tranquilles, les enfants n'arriveront pas comme ça, par hasard, pour nous déranger.

— Mais qu'est-ce que t'as, toi ? Tu es donc bien bizarre, tu n'es pas bien avec moi ?

Brigitte hésite à répondre, mais se lance quand même :

— Non, Jean, je ne suis pas bien, avoue-t-elle enfin.

— Bien, Bon Dieu ! Qu'est-ce que tu veux de plus ? Je travaille, je paye tout dans la maison, c'est normal que je n'aie pas d'énergie quand je rentre, je ne fais pas juste du magasinage, moi !

— Comment, juste du magasinage ? fulmine Brigitte.

— Bien c'est ça, depuis qu'on est à Montréal, t'as rien fait pour te chercher un emploi ! Tu pourrais m'aider à payer les comptes. Il me semble que ce n'est pas difficile à comprendre pourquoi, moi, je suis fatigué, et que, toi, tu ne l'es pas !

Comme si je ne faisais rien dans la maison...

— Tu vois comme on ne se parle plus, tu apprendras que j'ai commencé à faire un contrat de décoration pour Chloé !

— Du magasinage, tu veux dire !

Ce qu'il peut être arrogant !

— Parce que, designer, ce n'est pas un emploi pour toi, mooonsieur le comptable agrééééééé ?

— Qui parle de designer ? Tu n'es pas designer, à ce que je sache ! On ne se donne pas un titre comme ça !

— Ah ! C'est facile pour toi, ta job, tu l'as. Moi, j'ai tout sacrifié pour te suivre !

— Sacrifié quoi ? Tu écrivais quelques papiers qui ne te rapportaient même pas de quoi payer ton épicerie de la semaine ! Grosse carrière !

C'est ton mari, ça, qui t'insulte comme ça ?

Ces paroles blessent profondément Brigitte. Elle est vexée de voir qu'il la méprise ainsi, et que son travail de journaliste soit remis en question, alors que les choix qu'elle a faits ont justement privilégié la carrière de son mari plutôt que la sienne. Bien qu'elle soupçonne la réponse qu'il lui fera, elle lui annonce tout de même :

— J'ai pensé ouvrir une boutique, j'aurais juste besoin d'un peu d'argent pour débuter.

— Bien, compte pas sur moi pour ça ! répond-il aussitôt. J'ai travaillé fort pour avoir cet argent-là et je n'ai pas envie de l'engloutir dans une boutique de gugusses !

— Des gugusses ! Ce que tu peux être insultant ! Tu te sens supérieur parce que tu es comptable ?

— Bien, pas supérieur, mais je sais compter !

— Jean, si les choses ne changent pas entre nous, je crois qu'on devrait se séparer…

Je l'ai dit !

— Se séparer ? demande Jean, surpris.

— Oui, on n'est vraiment plus sur la même longueur d'onde, toi et moi. On ne fait rien ensemble, tu ne me proposes aucune activité, tu ne veux m'emmener nulle part, on ne se parle plus et on ne baise même plus. Je n'en peux plus de cette vie plate à mourir.

— Baiser, baiser, il n'y a pas que ça dans la vie ! Je travaille, moi, où crois-tu qu'on prend cet argent ? Qui doit payer pour l'école des enfants, hein ? La nourriture ! Les taxes ! L'hypothèque ! L'électricité ! On dirait qu'il n'y a que le sexe qui est important pour toi !

— C'est méchant ce que tu dis là.

— Avec quoi tu vas te séparer, tu veux me dire ? Tu n'as presque pas d'argent !

— J'en ai un peu à la banque, et puis j'ai déjà un contrat, je te ferai remarquer ! Je vais reprendre ma vie en main, j'aurai une pension alimentaire.

Devenu blanc tout à coup, Jean toise Brigitte. Il dit :

— Tu sais que tu vas faire mal aux garçons ?

— N'essaie pas la manipulation sur moi. On leur fait beaucoup plus mal comme ça. Et puis, j'en ai assez de cette conversation, le coupe Brigitte, qui va se réfugier dans sa chambre.

Jean la suit, riposte derrière elle :

— T'es tombée sur la tête ou quoi !

— Je te le dis, Jean, si tu ne changes pas d'attitude, que tu ne fais pas d'efforts pour sauver notre couple, c'est vers la séparation qu'on se dirige tout droit. *I can't live like this anymore !*

46

À Paris, en amoureux !

De : j.bonnier@hotmail.com
À : sarah_despatie@hotmail.com
cc : chloe.pariseau@langloisavocats.com ; bchouinard
@hotmail.com

« Ah ! Je suis arrivée à Paris et j'ai enfin retrouvé
mon amoureux, qui est aussi mon mari ! Ce qui n'est
pas toujours le cas… Je dois avouer que mon arrivée
a plutôt ressemblé à un cauchemar ! J'ai cru que j'avais
perdu Zib, que mon mariage était fini.

Dieu que ça m'a fait mal ! Un boulet de canon
en plein cœur ! C'était comme si j'avais été frappée
par un tsunami ou qu'un tremblement de terre
de magnitude 9 sur l'échelle Richter me secouait
tout entière. Juste pour vous donner une idée de
comment je me sentais !! J'ai vraiment cru que
j'allais mourir à Paris sans vous toutes ! Quelle
tristesse !

Figurez-vous donc que j'avais oublié que mon mari est un artiste! Oui, je t'entends d'ici, Brigitte: *stupid you!!* Sa baronne, Sophie de la Villardière, lui jette des modèles vivants en pâture comme on le faisait au temps de Néron dans la fosse aux lions, sauf que là, c'est dans la fosse aux artistes! Fausse alerte! Comme Faus…t a eu droit à une seconde vie, j'ai décidé de lui en offrir une, moi aussi, mais je garde son âme, hihi!

Son modèle a eu la chance de goûter au sirop d'érable du Québec, par contre, je vous raconterai tout à mon retour! J'ai pété les plombs, vous auriez dû voir ça!

Tout de même, pas facile de vouloir faire une surprise à son mari et de le trouver avec une magnifique femme nue qu'il est en train de croquer sous tous les angles! En plus, elle avait de ces seins, alors que moi, comme vous le savez, je n'ai pas été trop choyée par la nature de ce côté-là, haha!

Maintenant que ce mauvais moment est passé, Zib se montre toujours aussi passionné, se révèle l'amant parfait et, le plus important, nous retrouvons nos ardeurs libertines qui me propulsent au septième ciel comme lors de notre voyage de noces!

Samedi prochain, juste avant mon départ, on a une soirée officielle prévue chez la baronne, qui tient salon. Ma première rencontre avec la noblesse, celle par qui tous mes problèmes arrivent. À suivre…

Je vous entends d'ici: oui, je serai gentille, la petite femme parfaite pour que mon Zib soit encore plus épris de moi et veuille refaire ses bagages, cette fois-ci, pour partir dans la direction opposée! Il faut que mon plan fonctionne, c'est bien beau, Paris, mais ma carrière, ma vie est à Montréal, avec vous toutes. Donc: retour au bercail du mouton égaré à Paris, qui se rendra compte bientôt de son erreur, ne pourra plus se passer de son épouse. C'est-à-dire MOI! MOI! ET RE-MOI!!

À plus, mes pitounes! Ne foutez pas le bordel partout comme vous l'avez fait lors de mon dernier voyage, soyez sages!»

Justine appuie sur «Envoyer» alors que Zib passe la tête dans la chambre, lui demande:

— Chérie, j'ai pensé qu'on pourrait faire des visites de galeries d'art aujourd'hui, peut-être que tu trouveras de nouveaux artistes, qu'en dis-tu?

— Je suis bien d'accord, mais pas avant que tu m'aies embrassée et jetée sur le lit. J'ai trop envie de toi!

La voir ainsi, en boxer et camisole courte, qui laisse paraître ses seins à travers le mince tissu et découvre son nombril, ravive déjà l'ardeur amoureuse de Zib.

— Hé! Tu es insatiable, toi, ma petite coquine! Mais je suis à ton service, profitons-en le temps que tu es ici.

Justine part en courant dans l'appartement. Zib la poursuit, elle crie, se faufile entre les meubles, fait le tour de la table de la salle à manger, toujours avec Zib à ses trousses, qui, finalement, l'attrape, la fait tournoyer dans les airs, lui maintient les bras pour l'empêcher de se débattre puis l'embrasse sur ses belles lèvres, si charnues, qui lui font tant envie. Justine rend les armes, répond à son baiser.

— Que c'est bon, murmure-t-elle, en se blottissant dans les bras de son mari. J'ai des provisions à faire pour mon retour à Montréal, moi! Tu me manques tellement, le condo est si vide sans toi, et mes soirées sont si tristes!

— Tu me manques aussi, Justine. On sera à nouveau réunis, donne-moi un peu de temps, tu verras.

Elle le trouve fort séduisant, avec ses cheveux très noirs qu'il garde un peu longuets, ses yeux verts, dont l'iris est cerclé d'un mince ruban noir et sa barbe de trois jours qu'il arbore depuis qu'il est à Paris.

Sans perdre de temps, elle commence à déboutonner la chemise que Zib venait tout juste de mettre, s'enivre des effluves de son parfum sensuel, au nom évocateur, *Bois d'Orage*, embrasse son torse à mesure que les boutons sautent, défait bientôt sa ceinture, continue sa descente… aux enfers ou au paradis !

Lorsque Justine sent qu'elle a les choses bien en mains, que Zib n'a plus qu'un désir, celui de l'envahir de tout son être, au plus profond d'elle, elle se relève, l'embrasse à pleine bouche. Zib se penche, la tient sous les épaules, passe un bras derrière ses genoux, la fait basculer doucement pour l'accueillir et la dépose dans le lit pour l'y rejoindre aussitôt. Il lui souffle, les yeux troublés :

— Je t'aime, Justine.

— Moi aussi, je t'aime, répond-elle, libérée du poids de ses horribles craintes.

— Je suis si content que tu sois ici. Paris sans toi, ce n'est plus Paris.

Comme ces paroles sont douces aux oreilles de Justine, comme elles sèment l'espoir en son cœur inquiet.

L'espoir qu'ils passeront à travers cet intermède parisien, toujours unis et amoureux l'un de l'autre.

Zib s'emploie à la dénuder à son tour, embrasse ses seins, son ventre, fait voler sa petite culotte dans les airs.

Ah ! Qu'il fait bon être à Paris avec son mari, pense Justine pendant qu'ils font l'amour.

Après, ils se prélassent encore longtemps, allongés dans le lit, se racontant mille et une choses.

Quatre jours, c'est si vite passé ! Toutes les heures, les minutes sont comptées. Ils quittent l'appartement de Zoé, qui est partie à Dubrovnik, en Croatie, pour une séance de photos sur les remparts de la vieille ville sur la côte dalmate, au bord de la mer Adriatique. Justine aurait bien aimé la voir, mais leurs horaires ne s'y prêtent pas.

Les amoureux partent au gré de leur fantaisie, écument les galeries d'art, découvrent de nouveaux artistes, s'approprient tout du regard. Ils revisitent le

Louvre, le Jeu de Paume, vont se promener sur les Champs-Élysées, marchent main dans la main au jardin du Luxembourg, aux alentours de la cathédrale Notre-Dame, déambulent le long de la Seine.

Ainsi s'écoule le temps pendant le séjour de Justine, des heures d'amour à profusion, des cascades de rires, de baisers, de grand bonheur. Comme la veille du départ de Justine tombe le samedi, Zib a proposé de profiter de la soirée où la baronne tient salon afin qu'elles se rencontrent toutes les deux. Lorsqu'ils sont en train de se préparer ce soir-là, Justine demande à Zib :

— Ah ! On n'a pas ouvert l'autre bouteille de sirop d'érable ! Tu crois que ta baronne aimerait que je la lui offre en cadeau ? C'est si typique de chez nous !

— Bonne idée, c'est gentil de ta part, je suis certain qu'elle y verra une délicate attention.

Lorsqu'ils sont sur le seuil de la porte, Justine se sent tellement triste tout à coup à la pensée de quitter son mari le lendemain, qu'elle quémande d'une toute petite voix :

— Restons ici, ensemble, juste tous les deux au lieu d'aller chez ta baronne.

— Hum ! J'adorerais rester avec toi, mais je lui ai déjà promis qu'on irait. Je ne peux pas me décommander. Elle est si bonne pour moi.

— Dis que tu as la grippe.

— Justine, c'est pas raisonnable, je suis venu ici pour ça, côtoyer des artistes, des gens du milieu. Et puis, j'aimerais vraiment que tu la rencontres !

— Dit comme ça…

— Je suis certain que tu vas l'adorer !

— Mouais ! Je n'en suis pas aussi certaine que toi…

— Mais pourquoi ? Tu ne la connais même pas.

— Les femmes, on a de l'intuition pour ça !

Et l'intuition d'une femme, ça ne ment pas…

47

Accommodements raisonnables

Arrivé devant les portes grillagées qui protègent un vieux château en pierre que l'on aperçoit au loin, Zib s'approche de l'interphone fixé sur une colonne enfouie sous un épais feuillage. Il appuie sur le bouton et s'annonce. Les grandes portes s'ouvrent sur un jardin de type anglais. Justine et lui avancent sur le chemin, découvrent à un tournant un arbre torturé qui sert d'avant-plan à un paysage bucolique. Les chemins débouchent sur des sites pittoresques, aux étangs gorgés de nénuphars où d'immenses statues de marbre sont posées çà et là, qui confèrent à l'endroit un air de poésie.

— C'est joli, n'est-ce pas? demande Zib.

— Oui, très. Ta baronne ne semble pas faire partie de cette noblesse déchue et désargentée dont on nous parle bien souvent! fait remarquer Justine.

— Justement, elle l'est, mais elle s'est mariée à un homme très riche. Il l'a épousée pour le titre, et elle pour son argent. Il est beaucoup plus vieux qu'elle.

— Un accommodement raisonnable, en somme! Je ne peux pas croire que ça existe encore, ces mariages! s'exclame Justine.

— Oui, ma chérie, mais ce ne sont pas des mariages arrangés par des parents cupides, c'est fait par des adultes consentants. Elle raconte partout qu'elle n'arrivait plus à entretenir le château et a trouvé ça comme solution. C'est une femme libre.

— Libre? Alors qu'elle est obligée d'épouser quelqu'un pour son argent?

— Oui, libre, tu vas voir!

— Tu m'intrigues, fait Justine. Ma petite voix me parle très fort en ce moment… mais, j'attends de la rencontrer avant de me faire une idée!

Un domestique les accueille à la porte et les dirige vers un salon, où une centaine de personnes sont réunies. Justine repère aussitôt la baronne qui «trône» au centre de la pièce, outrageusement ornée de dorures, de meubles d'époque. La pièce, pas la baronne! Justine la trouve très belle avec ses cheveux noirs comme l'ébène, relevés en une savante torsade, son nez fin, ses cils drus qui enchâssent ses grands yeux sombres, comme deux diamants noirs. Elle est dans la jeune cinquantaine et possède la beauté qu'ont souvent les femmes parvenues à une certaine maturité. Justine lui aurait plutôt donné quarante ans. Elle murmure à l'oreille de Zib:

— Tu m'avais dit qu'elle avait cinquante ans!

— Elle a l'air un peu plus jeune, c'est vrai, bafouille-t-il.

Dès que la baronne aperçoit Zib, elle se lève et va le rejoindre, se tient tout contre lui un instant, qui semble bien long à Justine. Puis elle s'écarte de lui légèrement, lui tend les joues, où Zib pose un baiser. La baronne l'embrasse à son tour sans se préoccuper de Justine, l'ignore totalement serait plus juste. Le sang de Justine ne fait qu'un tour.

Les filles avaient raison, la Sophie-de-la-quelque-chose semble amoureuse de mon mari!

Zib repousse la baronne gentiment et dit:

— Ravi de vous revoir, Sophie, vous êtes toujours aussi resplendissante. Permettez-moi de vous présenter mon épouse, Justine.

— Enchantée, fait cette dernière, Zib m'a tellement parlé de vous, de l'aide que vous apportez aux artistes, on ne trouve plus beaucoup de mécènes comme vous de nos jours!

Justine met la main dans son sac pour y prendre sa bouteille de sirop d'érable. La baronne répond:

— Ah! C'est que j'adore les artistes, mon petit.

« Mon petit », là, ça va faire! Elle ne l'aura pas, mon sirop d'érable! Non, elle ne me tassera pas dans un coin comme ça, cette baronne de mes fesses! Une chance que je suis venue! Qu'est-ce qu'elle a dit, Sarah, déjà? Oui, faire mon territoire, c'est ça, je vais le marquer en faisant pipi partout!

Justine retire la main de son sac et le referme.

— Oui, je vois, tous ces jeunes, dit Justine en insistant sur ce mot, artistes qui peuvent profiter de votre savoir, de votre expérience, de vos connaissances, c'est très honorable de votre part!

— Ça va, ça va, répond la baronne en balayant l'air du revers de la main. Mais venez donc vous joindre au groupe.

Passant devant un serveur en livrée, Zib attrape deux coupes de champagne, en tend une à Justine, qui s'empresse d'en prendre une bonne lampée. Zib, qui connaît déjà quelques personnes, en profite pour leur présenter Justine. Elle parle, discute de peinture, et on s'intéresse encore plus à elle lorsqu'elle dit être galeriste à Montréal. Elle recueille quelques cartes ici et là, promet d'aller voir sur Internet pour connaître les œuvres des artistes concernés et peut-être même de les exposer dans sa galerie, que certains connaissent déjà. Justine est dans son monde, elle rayonne.

À un moment, elle voit arriver une invitée inattendue, écarquille les yeux sous le coup de la surprise.

Non ! Ce n'est pas vrai !

48

Mes orgasmes,
je les garde pour mes amants !

— M ais qu'as-tu ? demande Zib, qui voit la mine déconfite de sa femme.

Le cœur de Justine bat à tout rompre, le sang afflue à son visage. Zib la regarde, plisse le front, inquiet de son changement d'attitude, note le tremblement de ses mains sur sa coupe de champagne.

— Ça va, ma chérie ? demande-t-il encore tout en se tournant dans la direction où les yeux de Justine sont rivés.

Avec surprise, il découvre la raison de son trouble. Oui, son modèle à la longue tresse dorée vient de faire une entrée remarquée, vêtue d'un chemisier ivoire transparent, qui laisse voir ses seins généreux, et d'un simple short à ras le popotin. Chaussée de haut, elle déambule dans la pièce comme un mannequin, distribuant des baisers ici et là. Tous les invités l'observent, admirant sa beauté, son corps parfait, ses jambes longues à n'en plus finir. Un homme marche la tête complètement tournée vers elle et fonce dans une grosse femme en train de manger des hors-d'œuvre. Lorsqu'elle comprend ce qui s'est passé, elle le gifle, outrée. Un autre marche sans regarder devant lui, trébuche et arrive tout juste à éviter de s'étaler de tout son long par terre.

Justine prend Zib par le bras, s'éloignant des autres personnes avec qui ils discutaient. Elle s'exclame, fâchée :

— Mais qu'est-ce qu'elle fait encore là, celle-là ?

— Mais… je ne sais pas, ma chérie, se défend Zib.

— C'est toi qui l'as invitée ?

— Mais non, voyons…

— Elle est ici tous les samedis, je suppose ?

— Non, je te jure, c'est la première fois que je la vois ici !

— Zib… c'est TON modèle, ne me dis pas que c'est la première fois que tu la vois ici !

— Mais c'est vrai…

Ces paroles ne réussissent pas à convaincre Justine. Son petit cœur est bien malmené. Cette baronne et ce modèle qui tournent autour de son mari viennent exacerber sa jalousie au point où elle en éprouve des étourdissements.

— Il ne faut quand même pas me prendre pour une valise, lâche-t-elle.

Zib n'a pas le temps de répondre, car la baronne s'approche d'eux, le saisit par le coude pour l'entraîner à sa suite vers un autre groupe. Justine la regarde se pavaner au bras de son mari, ne se sent vraiment pas rassurée de voir ces belles femmes prêtes à tout pour lui mettre le grappin dessus. Le modèle passe près d'elle, lui glisse à l'oreille en ricanant :

— Ton mari, je vais me le farcir quand je voudrai !

Le cœur de Justine s'emballe. Son beau mariage lui semble tout à coup réellement menacé, une bouffée de colère l'envahit.

Cette pouffiasse a avantage à déguerpir d'ici !

Elle va rejoindre le modèle, lui montre, avec un sourire entendu, son sac ouvert dans lequel la bouteille de sirop est parfaitement visible, mais ne dit pas un mot.

Le shampoing cent pour cent sirop d'érable a dû lui donner bien du fil à retordre, puisque le modèle à la longue tresse dorée écarquille les yeux et se dirige aussitôt vers la sortie, à l'étonnement de tous. La baronne, qui a observé la scène, a un petit rictus de mécontentement.

Zib rejoint Justine, lève un sourcil surpris, demande :

— Mais qu'est-ce que tu lui as dit ?

— Rien !

— Tu as dû lui dire quelque chose pour qu'elle parte ainsi, non ?

— Euh… non, rien, je te jure ! fait Justine avec un petit air innocent.

Mais fière de son coup, elle peine à cacher un sourire espiègle.

La baronne revient bientôt et déclare :

— Mon petit ! Ça ne vous dérange pas que j'emprunte votre mari, j'espère !

— Mais non, je ne suis pas jalouse. Zib et moi sommes très en amour.

— Qu'est-ce que c'est que ces histoires d'être amoureux de son mari ! L'amour, c'est fait pour les amants, pas pour les maris ! déclare la baronne très fort, en tournant dans la pièce pour attirer l'attention sur elle.

D'ailleurs, des gens, curieux d'entendre les propos de cette femme qui cherche toujours à étonner, s'approchent d'eux.

— Pas pour moi, répond Justine. J'aime mon mari, c'est la raison pour laquelle je l'ai épousé, on divorcerait si ce n'était pas le cas.

— Ici, en Fraaance, reprend la baronne sur un ton hautain, on ne divorce pas, on prend des amants, pardi !

— Mais pas au Canada, désolée ! réplique Justine.

— Un mari, c'est pour la sécurité, voyons ! Pas pour l'amour ! Mes orgasmes, continue la baronne, je les garde pour mes amants !

Zib ne suit pas trop la conversation, repense à son modèle, se demande bien ce qui l'a fait fuir ainsi. Il s'inquiète d'avoir à trouver quelqu'un d'autre et que ses esquisses, en vue de l'élaboration de son prochain tableau, ne servent plus à rien.

Justine fronce les sourcils.

— Je ne suis pas certaine de vous suivre, dit-elle à son interlocutrice.

— Bien oui, mon petit, un orgasme, c'est beaucoup trop personnel. Mon mari pourrait s'imaginer qu'il a une emprise sur moi, je préfère garder le contrôle ! Je vois que vous n'êtes pas d'accord, il ne faut pas montrer ce que vous pensez comme ça, on lit tout sur votre visage, tout ceci est si évident pourtant ! déclare la baronne, les yeux au ciel et le menton bien haut…

Elle parle si fort que, maintenant, tout le monde s'est agglutiné autour d'eux.

— Bien non, justement, je ne vois pas ce qui est évident dans tout ça, il me semble que c'est avec son mari qu'on devrait être plus personnel, non ?

— Mais non, voyons, avec le mari, il faut apprendre à feindre l'orgasme ! Les hommes s'imaginent qu'on est accro au sexe, à leur sexe à eux, et ça leur donne un pouvoir sur nous, alors que, au fond, rien de tel qu'un amant pour ça !

Même si cette femme drague son mari, Justine la trouve drôle, se surprend à sourire et a bien hâte de raconter tout ça à ses amies.

La baronne poursuit, certaine d'être écoutée de tout le monde. Elle dit bien haut :

— Mon mari travaille tellement, j'ai besoin d'occupations ! *Fifty Shades of Grey,* ce n'est qu'un conte pour enfants ! Ha, ha, ha ! fait-elle en tournoyant pour que tous l'entendent.

49

Laisser son mari
dans la fosse aux lionnes

L a pluie tombe à verse lorsque Zib et Justine des-
cendent du taxi ce midi-là. Le temps est maus-
sade tout comme eux. Zib sort le premier, déploie
son parapluie, le tient au-dessus de la tête de Justine.
La circulation était si dense dans Paris qu'ils arrivent
tout juste pour l'heure du départ. Ils s'engouffrent dans
l'aéroport Charles-de-Gaulle, se rendent au comptoir
d'Air France à la course. Ils repartent aussitôt vers les
vols internationaux.

— Voyons, Justine, dit Zib, en marchant d'un pas
vif, elle n'est rien pour moi, c'est un modèle, je te le
jure !

— J'ai vraiment du mal à croire qu'elle était là pour
la première fois ! Je trouve ça trop bizarre.

— Mais qu'est-ce que je peux dire pour que tu me
croies ?

— La vérité ! lance Justine.

— Mais c'est la vérité, insiste Zib.

— Mets-toi à ma place, comment veux-tu que je me sente en sachant que, demain, elle sera là à se pavaner toute nue devant toi avec son corps de déesse ?

— Justine… ça ne me dérange pas, ce n'est pas mon premier modèle, voyons !

— Elle fait exprès de t'attiser pour coucher avec toi ! Elle me l'a dit, qu'elle t'aurait !

Zib arrête Justine dans sa course, l'embrasse. Mais elle ne répond pas à son baiser. Il baisse les bras, soupire, puis ils repartent en courant. Une fois devant le contrôle de la sécurité, il dit en l'enlaçant :

— Je t'aime, je ne veux pas que tu partes en étant fâchée contre moi, je t'assure que je n'ai rien à me reprocher. Est-ce que tu me crois maintenant ?

— Je ne sais plus, fait Justine tristement. Je veux bien te croire, mais qu'est-ce qui va se passer demain, après-demain, dans une semaine, avec ces deux femmes qui te courent après, alors que moi, je ne suis pas là pour me défendre ?

— Ne sois pas jalouse d'elles, ma chérie, elles ne m'intéressent pas, je suis uniquement ici pour travailler, pas pour avoir des aventures !

— Oui, mais ces Françaises sont si libertines, une qui se promène en chemisier transparent sans soutien-gorge, et l'autre qui garde ses orgasmes pour ses amants ! Il me semble que c'est tentant pour un homme !

— Cesse de penser à ça, ma chérie, dit Zib, en l'embrassant encore.

— Je dois y aller maintenant…

— Je serai sage, Justine, ne pars pas fâchée, je t'en prie. Je t'aime, dit-il.

— Moi aussi, je t'aime, mais je ne veux pas te partager, répond-elle.

— Tu ne me partages pas, Justine, crois-moi !

Justine voit les yeux de Zib devenir humides, puis le couple se sépare sur ce moment empreint d'émotion. Il la suit du regard jusqu'au dernier moment. Le cœur en lambeaux, Justine se retourne une dernière fois, lui fait un petit signe timide de la main, tandis qu'il lève le bras, fait un grand geste et touche ses lèvres de la main pour lui transmettre un baiser.

Songeur, Zib s'en retourne, tête baissée, les deux mains dans les poches de son imper.

50

Souper de filles

C hloé a cuisiné pour ses amies, qui sont toujours aussi ravies de lui servir de cobayes.

Au menu donc :

Pesto aérien avec sa tuile de parmesan

Raviole de magret au confit siphonné

Flans pétillants aux trois chocolats

Tout ce qu'il lui reste à faire, ce sont les émulsifiants, qui demandent une attention particulière et doivent être préparés à la dernière minute.

Brigitte arrive la première, accueillie par les jappements de Rambo. Il a pris son nom un peu trop au sérieux, celui-là… Elle veut voir la réaction de Sarah et de Justine lorsqu'elles découvriront les changements. Oui, le petit nid de Chloé a passablement changé depuis que Brigitte se charge de la décoration, il a même pris des allures empruntées aux revues branchées ! Brigitte s'amuse beaucoup à parcourir les magasins en vue de dénicher l'objet idéal, les meubles.

Elle s'est remise en contact avec la boutique pour laquelle elle travaillait à New York, a acheté quelques trucs design dont Chloé raffole.

— Tiens, dit-elle en arrivant, voilà mon portfolio, tu pourras le montrer à tes amies, j'espère qu'elles vont aimer !

— Elles sont prêtes, je te dis, je leur ai tellement parlé de toi !

Puis Brigitte se penche, tapote la petite tête de Rambo.

— Il est mignon ! dit-elle.

— Viens ici, toi, ma petite terreur, lance Chloé. Non ! Ne me fais pas ton cinéma, viens te coucher ici, dans ton lit.

Elle le couche dans sa cage, dont la porte reste toujours ouverte, et ajoute un petit jouet pour l'amuser. Le chien en ressort, va se chercher un os dont il est le seul à connaître les cachettes puisqu'il les dissimule partout dans le condo, retourne dans sa cage et commence à gruger son trésor.

— Ah ! Si les hommes étaient comme lui ! Comme c'est simple avec Rambo, il est toujours là, m'aime de façon inconditionnelle, en plus, il est tranquille, n'écoute pas le hockey, et il est fidèle !

— Ha, ha, ha ! fait Brigitte en éclatant de son grand rire.

Justine, fraîchement débarquée de Paris, arrive, suivie de Sarah.

— Hé ! Mais dis donc, c'est chouette ici ! s'exclame-t-elle, en se forçant pour prendre un air gai.

Le quatuor est maintenant complet, au grand bonheur de toutes. Même si, dans le groupe, chacune est tourmentée à sa façon, pour des motifs bien différents.

Les amies se jettent dans les bras les unes des autres, s'extasient sur les changements apportés au condo de Chloé. Justine exhibe fièrement une bouteille de champagne Taittinger achetée à Paris, des thés et du chocolat de chez Fauchon, qu'elle distribue à chacune.

Elle débouche la bouteille, qui émet un pop net et bien sonore, tandis qu'elle crie aussi joyeusement qu'elle le peut : « Yééé ! » Finalement, elle remplit les coupes tendues vers elle avec la précieuse boisson dorée.

Même si elle n'a vraiment pas le cœur à la fête.

Elles trinquent à leurs retrouvailles, lancent leur cri de ralliement : « Toutes pour une, une pour toutes ! »

— *Cheers !* font-elles, heureuses d'être ainsi réunies.

Chloé sert son pesto aérien avec sa tuile de parmesan. Justine, qui ne veut pas gâcher la fête, sourit, regarde son plat, goûte du bout des lèvres, feint une joie qu'elle est très loin de ressentir. La gorge nouée, elle réalise qu'elle est bien incapable de manger. Au bout de quelques minutes, n'y tenant plus, elle se lève pour aller se réfugier dans la salle de bain, éclate en sanglots. Les amies, consternées, se regardent, ne savent pas quoi faire. Puis Sarah se lève, frappe doucement à la porte, demande :

— Tu es malade, ça ne va pas ?

— Non, je ne suis pas malade, amusez-vous, moi, je m'en vais !

— Viens avec nous, voyons, tu veux nous en parler ?

Justine ouvre la porte, l'air misérable.

— Viens t'asseoir, l'invite Sarah en passant le bras autour de son amie.

— Non, je m'en vais, répond Justine en pleurant. Je ne veux pas gâcher votre belle soirée.

— C'est en partant que tu vas tout gâcher, fait Chloé.

Justine les regarde, accepte de s'asseoir.

— Ne te sens pas obligée de manger, dit encore Chloé.

— Tu es gentille, répond Justine.

Les filles ne savent que dire, regardent Justine en silence.

— C'est Zib, continue-t-elle, son maudit modèle me fout la trouille. Lorsque nous sommes allés chez la baronne, elle est arrivée, comme une habituée, en chemisier transparent, pas de soutien-gorge, ça m'a fait péter les plombs. Elle avait l'air de connaître tout le monde !

— C'est lui qui l'avait invitée ? demande Brigitte.

— Il a dit que non.

— Hum… facile à dire, ça, constate Sarah. Qu'est-ce qu'elle faisait là alors ?

— Il ne le sait pas. C'est peut-être la baronne qui l'a invitée, mais il m'a dit que c'est la première fois qu'elle se trouvait là, alors pourquoi seulement ce soir-là ?

— Oui, bizarre. Elle a dû y aller avant si elle avait l'air d'une habituée, déclare Chloé. En plus, tu l'as trouvée toute nue chez lui. Même si c'est un modèle, je te comprends, ce n'est pas évident, hein…

Justine, qui a ressassé tout ça dans sa tête des centaines de fois, n'arrive pas à passer l'éponge, doute que son mari, qui nie pourtant tout, soit aussi innocent qu'il le laisse croire. Elle dit en soupirant :

— Il me semble que je serais bien tarte d'avaler tout ça.

— Ça fait beaucoup, concède Chloé.

— Pauvre chouette, il a fallu que tu passes la soirée là, à voir ces deux femmes rôder autour de Zib, pas facile, ça, compatit Sarah.

— J'ai éliminé le modèle assez vite, ajoute Justine. Le shampoing cent pour cent sirop d'érable a fait l'affaire.

— C'est quoi cette histoire de shampoing ? demande Chloé.

— J'ai fait la pire crise de jalousie de ma vie, les filles, ça ne m'était jamais arrivé !

Justine sourit à cette pensée, puis reprend.

— Quand j'ai surpris mon artiste avec sa plantureuse modèle, j'ai dit à la fille que j'étais la directrice artistique de Zib, et je lui ai fait un shampoing avec la bouteille de sirop d'érable que j'avais achetée à l'aéroport !

— T'as pas fait ça ! s'écrie Sarah.

— Oui! J'ai fait ça! admet Justine. Et j'avais apporté la deuxième bouteille que je voulais offrir à la baronne lors de cette soirée, et quand je me suis aperçue qu'elle était aussi chiante, qu'elle draguait ouvertement mon mari, eh bien… je l'ai gardée! Donc quand le modèle s'est présenté, je n'ai eu qu'à la lui montrer pour qu'elle déguerpisse aussitôt.

Malgré la mine défaite de Justine, Sarah pouffe de rire alors que Brigitte et Chloé ne savent que faire. Mais Chloé, n'y tenant plus, éclate de rire à son tour, suivie de Brigitte et bientôt Justine. Elle enchaîne:

— Et en plus, il y a sa baronne, elle ne le lâche pas, elle est toujours accrochée à lui, elle veut l'avoir dans son lit. Les amants pour elle, ça ne pose aucun problème, imaginez, elle dit devant tout le monde que, ses orgasmes, elle les garde pour ses amants.

Les amies s'esclaffent.

Puis Justine raconte tout ce que la baronne a dit ce soir-là.

— Elle est drôle quand même, finit-elle par avouer.

— Oui, mais elle est dangereuse, une femme qui parle comme ça va tout faire pour attirer Zib dans ses filets, la met en garde Brigitte.

En effet, la noblesse ne tient pas qu'à un nom, car il arrive trop souvent que la noblesse du cœur fasse cruellement défaut aux gens qui se targuent de porter un nom à particule.

— Je sais, dit Justine, mais que faire?

Songeuse, elle joue dans son assiette avec sa fourchette. Elle ne peut toujours rien avaler tellement sa gorge est nouée.

— Mange un peu, fait Sarah, ça te fera du bien, tu es si pâle…

— Oui, approuve Brigitte, tu vas voir, c'est vraiment bon!

— Je veux bien essayer, répond Justine en prenant une petite bouchée.

Les autres recommencent à manger tranquillement. Le fait d'avoir raconté son histoire à ses amies a fini par dénouer l'estomac de Justine, encore bouleversée par son séjour parisien.

Chloé se lève, prépare son émulsifiant, puis en garnit ses ravioles de magret au confit siphonné devant ses amies, toujours aussi impressionnées. Tour à tour, elles manifestent leur admiration devant les talents culinaires de l'avocate.

— C'est de la cuisine moléculaire, laisse tomber Chloé, comme si c'était la chose la plus naturelle au monde.

— T'es vraiment trop bonne! s'exclame Justine.

— Moi, je suis sans voix! renchérit Sarah.

— En tout cas, il est chanceux, celui qui va mettre le grappin sur toi! déclare Brigitte.

— Parlant de mettre le grappin, dit Chloé, là, j'ai vraiment besoin de votre aide, je ne sais plus quoi penser!

— Mais qu'avez-vous encore fait pendant mon absence, vous autres! lance Justine. Brigitte a rompu avec son amant, Sarah s'est fait prendre à embrasser Elliot dans une armoire à balais, et toi, Chloé, qui va jouer au boooowling avec un beau gars et qui se sauve comme Cendrillon! Mais raconte!

51

Le ruban à mouches...

Pensive, Chloé répond :
— C'est que Charles m'a rappelée, il veut absolument me parler, il ne comprend pas que je sois partie comme ça sans rien lui dire.

— Et qu'as-tu répondu ? demande Justine.

— Bien, rien. Je n'ai pas répondu justement, il m'a tout raconté ça sur ma boîte vocale. Vous voulez écouter ?

— Oui ! acquiescent les amies.

Chloé retrouve le message de Charles, appuie sur la touche pour le faire jouer. Les filles s'approchent pour mieux entendre, quatre têtes se tiennent au-dessus du répondeur, l'oreille tendue.

« Hum... entendent-elles, je vois que tu me boudes... Pas de réponse à mes textos, courriels, et là, pas plus au téléphone. Mouais... malgré tous les moyens de communication qu'on a aujourd'hui, je n'arrive pas plus à te parler. Pas besoin d'avoir un QI au-dessus de la moyenne pour comprendre, je comprends! Ça, c'est facile à déchiffrer, mais... ce qui l'est moins, c'est pourquoi. Je ne suis pas habitué à plaider mes causes comme toi, et parler comme ça à un répondeur est un exercice vraiment difficile pour moi, j'aime mieux signer des transactions de millions de dollars en fait! Hum... Qu'est-ce que j'ai fait, Chloé? Qu'est-ce qui t'a pris de partir comme ça? Est-ce que tu m'as vu avec cette fille qui voulait m'entraîner dehors? Je ne sais pas, mais ce n'est pas parce qu'une fille me drague que je couche avec elle, hum... (*petit raclement de gorge et une pause*) sans vouloir passer pour un vantard, je dois dire que ça m'arrive vraiment souvent, ce genre de truc. Mais j'avais envie de passer la soirée avec toi, j'ai vu que tu t'amusais, tout le monde était autour de toi, je me suis éloigné pour aller chercher du vin, et c'est là que je me suis fait harponner par ma collègue. Quand je suis revenu avec nos consommations, tu t'étais envolée. Ce n'est pas mon genre d'inviter une femme et de partir avec une autre, crois-moi... Bien... (*autre raclement de gorge*) appelle-moi! J'ai aimé ce petit bout de soirée passée avec toi et j'aimerais bien terminer cette soirée qui avait si bien commencé. *Ciao!* »

— Tu ne l'as pas rappelé? demande Sarah.

— Non, répond Chloé.

— Mais pourquoi? demande Justine, il semble sincère pourtant!

— Je ne sais plus quoi penser. À vrai dire, ça me fait peur, laisse tomber Chloé.

— Tu dois lui parler, voir ce qu'il veut te dire, lui conseille Sarah.

— Je le sais, ce qu'il va me dire, que c'est pas de sa faute s'il est beau, qu'il ne peut pas s'égratigner la face pour être laid! Et puis, continue Chloé, qui a fait une pause pour prendre une gorgée de vin, jamais je ne serais capable de vivre avec un homme qui attire toutes les filles comme un ruban à mouches!

— Oui, mais s'il n'en veut pas, des autres mouches, lui ? Qu'il n'y en a qu'une qui l'intéresse ? demande Brigitte.

— Eh bien, pourquoi ce serait moi, cette mouche, alors qu'il y en a plein sur le ruban ?

— On ne pourrait pas prendre un autre exemple pendant qu'on mange ? suggère Sarah.

— Parce que tu es extraordinaire, dit Justine, en faisant fi de la remarque de Sarah.

— En plus, tu as de la personnalité, ajoute Brigitte.

— Tu es différente et bonne cuisinière, enchaîne Sarah en se prêtant au jeu quand même.

— Et tu es intelligente, ajoute Justine.

Chloé sourit, laisse tomber :

— Aaah ! Vous êtes trop gentilles ! Je suis toute mêlée, d'un côté, il y a Charles, et de l'autre, il y a Sébastien qui a l'air prêt à s'engager. Et avec lui, je sais au moins à quoi m'attendre.

— Tu ne trouves pas que c'est fini, cette histoire avec Sébastien ? l'interroge Justine.

— J'ai envie de jouer *safe*, Sébastien me dit qu'il est prêt à ce qu'on vive ensemble.

— Tu es bien jeune pour jouer *safe*, tranche Brigitte.

— Mais j'ai rencontré trop de cons, je n'en veux plus.

— Qui te dit qu'il est con, ton Charles ? demande Sarah. Essaie-le avant de dire ça ! Il t'a rappelée, il était même fâché que tu sois partie comme ça, il a dit que c'était elle qui s'accrochait à lui, pas lui !

Chloé boit le restant de sa coupe de champagne d'un coup.

— Parfois, dit-elle, c'est vrai que j'ai envie de me jeter à l'eau avec lui, il a quelque chose de magnétique, cet homme. Mais dites-moi, est-ce que c'est une folie que je ferais ? La pire erreur de ma vie ?

— Si tu joues toujours *safe*, Chloé, tu ne rencontreras jamais personne à ta mesure, dit Justine.

— Tu ne peux pas passer ta vie à avoir peur ! approuve Sarah.

— Je sais, mais maudit qu'ils sont décourageants, les hommes !

Brigitte s'exclame :

— Tu peux essayer ton Apollon, mais à une condition ! Tu ne fais pas de *dirty things* à moins qu'après tu me racontes tout, tout, tout !

Les filles rient de bon cœur, mangent maintenant avec appétit, y compris Justine, tellement les plats sont savoureux. Sarah continue :

— Un test ! déclare-t-elle. Réponds à ma question : admettons que tu te promènes dans la rue avec Sébastien et que, par hasard, tu croises Charles avec une fille à son bras, qu'est-ce que ça te ferait ? Aurais-tu un regret d'être peut-être passée à côté de quelque chose dans ta vie ?

— Huuum… oui, je crois que oui, répond Chloé. Ça me ferait un pincement au cœur de ne pas avoir essayé.

— Demande-toi maintenant comment tu réagirais si tu te baladais avec Charles, et que tu voyais Sébastien avec une fille à son bras.

Chloé ne réfléchit guère et, sûre de sa réponse, la partage aussitôt avec ses amies.

— Je serais contente pour lui, qu'il ait aussi trouvé l'amour avec une autre fille !

— Alors, la voilà, ta réponse ! s'exclame Sarah.

52

Bateau-Lavoir, ad nauseam!

— Bonjour, Luc! lance Élisabeth au gérant de la galerie d'art de Justine, en y entrant ce matin-là.

— Ah! Élisabeth! s'exclame ce dernier, surpris de voir la mère de Justine, qui vient rarement à la galerie, préférant passer «par hasard» au condo de sa fille pour lui apporter des petits plats, voir ses chiens.

— Tu vas bien, Luc?

— Oui, très bien! répond-il en l'embrassant. Quelle belle surprise vous nous faites ce matin!

— Je viens voir ma fille, elle n'a pas répondu à mes appels. Elle est bien revenue de Paris, non?

— Oui, oui, elle est dans son bureau, allez-y!

Luc suit Élisabeth des yeux et se dit: «*Oh boy!* J'ai comme l'impression que ma patronne ne sera pas trop de bonne humeur, là…»

— Ça a mal été à Paris? demande aussitôt Élisabeth en entrant dans le bureau de sa fille, sans prendre le temps de lui dire bonjour.

— Mais non, maman, ça a très bien été, se défend Justine.

Avoir une discussion avec sa mère, ce matin-là, c'est la dernière chose dont Justine a envie ! C'est d'ailleurs la raison pour laquelle elle a repoussé cette conversation depuis son retour.

— Tu n'en passeras pas une à ta mère comme ça ! Tu as l'air pâle et amaigrie. Dis-moi ce qui s'est passé à Paris ! ordonne Élisabeth en s'assoyant dans le fauteuil mauve en forme de fleur, dont Justine n'arrive toujours pas à se défaire.

— Mais rien, maman…

— Si c'était rien, tu m'en aurais déjà parlé, la rabroue sa mère, en posant sèchement son sac à main sur le bureau de sa fille. C'est comme je t'avais dit, hein, il t'a fait le coup du Bateau-Lavoir ?

— Maman…

Noooon ! Pas le Bateau-Lavoir encore ! Merde de merde !

— Exactement comme Picasso ! Ah ! Je le savais ! Je t'avais bien avertie ! Il te trompe, c'est évident !

Justine lève les yeux au ciel, n'a pas envie de discuter avec sa mère, mais elle doit bien avouer qu'Élisabeth a un peu raison d'avoir échafaudé tout son scénario de peintre à la Picasso au Bateau-Lavoir avec ses modèles. Et elle pense à ses amies aussi, qui elles non plus n'ont pas vu ça d'un bon œil. Depuis son retour, toute cette histoire l'accable à un tel point qu'elle n'en dort plus. Elle se sent si seule, si triste… Zib l'appelle, tente de la rassurer, mais elle ne trouve plus la paix d'esprit, a peur de perdre son mari, laissé à Paris entre les mains d'un modèle et d'une baronne un peu trop hardies.

— Ils sont tous comme ça, les artistes, continue sa mère, si tu m'avais écoutée aussi et avais épousé Philippe, tu n'en serais pas là !

— Ah, maman ! Ne recommence surtout pas avec Philippe, veux-tu !

— Ça va, ça va, je n'enfoncerai pas le clou dans le cercueil !

— Bien, c'est ce que tu fais, justement !

— C'est juste du gros bon sens ! Comment veux-tu qu'un homme résiste à voir des femmes nues comme ça devant lui ? Im-pos-si-ble ! scande sa mère.

— Oui, laisse tomber Justine, ça doit être bien difficile.

— Pas difficile, Justine ! Im-pos-si-ble ! Penses-y, ils sont tout seuls dans un appartement ! Voyons donc, ton Zib, il n'est pas fait en bois quand même !

Résignée, Justine répond :

— Non, maman, il n'est pas fait en bois…

53

Un homme qui veut s'engager?

Dans un restaurant branché de l'avenue Laurier, assise face à la grande fenêtre qui donne sur la rue, Chloé prend une gorgée de sa coupe de champagne. Charles tenait à fêter spécialement ce soir-là puisque Chloé a enfin accepté d'aller souper avec lui. Les fleurs qu'il a envoyées chez elle, les textos, les courriels, les messages laissés dans sa boîte vocale ont eu raison de ses craintes.

— Je n'ai jamais vu une fille si difficile à convaincre! fait Charles.

— Mets-toi à ma place! Tu as trop de femmes qui te tournent autour! Et celle-là, au bowling, qui te caressait le bras et qui avait l'air de t'inviter à partir avec elle…

— Ah! Que veux-tu, c'est mon charme, dit Charles sur un ton badin.

— Hum! Ton charme… c'est justement ça qui me fait peur, ton charme!

La serveuse arrive, fait un large sourire à Charles, se tourne vers Chloé et demande platement :

— Vous avez choisi ?

— Non, répond Chloé.

— Laissez-nous encore un peu de temps, demande Charles gentiment.

La serveuse jette un coup d'œil rapide sur Chloé et repart.

— Bon, bien, c'est ça qui m'agace, tu vois ? Elles sont toutes après toi !

— Chloé ! Voyons ! Dis-moi, est-ce que tu couches avec tous les hommes qui te draguent ?

— Bien… non, voyons !

— C'est la même chose pour moi, ce n'est pas parce qu'une femme me fait de l'œil que je vais coucher avec elle ! Il faut que tu passes par-dessus ça !

— Ah ! Je sais, ce n'est pas de ta faute si tu es beau comme un diable !

Charles rit de bon cœur.

— Sérieusement, je veux qu'on sorte ensemble, je veux passer mes week-ends avec toi, mes soirées, je veux avoir quelqu'un à mes côtés quand je me couche le soir.

— Bien, tu as plein de femmes, pour ça !

— Je n'en veux pas plein, Chloé, je te veux, toi… déclare Charles tendrement.

Puis il prend la main de Chloé posée sur la table, fait tourner sa bague entre ses doigts.

Chloé suffoque.

Comment savoir si c'est vrai ? « Essaie-le, c'est la seule façon… » « Tu ne crois pas que c'est fini, cette histoire avec Sébastien ? » ont dit Justine et Sarah. Oui, elles ont raison. Sébastien a eu sa chance, et ça a été si long que j'ai eu le temps de me détacher.

— En plus, on est avocats, tous les deux, ce serait *cool*, continue Charles, on va se comprendre, se parler des mêmes choses !

— Alors ça, c'est vrai, admet Chloé.

Charles fait signe à la serveuse, qui revient aussitôt. Ils passent leur commande, discutent.

— Au fait, commence Charles, j'aimerais prendre une semaine de vacances. Ça te dit de venir avec moi ? Un petit voyage, pas compliqué, pour se reposer…

Un voyage ! Tout est si naturel avec lui ! Si facile…

— Quand ? demande-t-elle.

— Dans quelques jours, ou vite en tout cas ! Qu'en dis-tu ? On va apprendre à mieux se connaître.

Mieux se connaître ! Mais si ça ne marche pas, puis qu'on est pris ensemble là-bas, c'est bien trop tôt pour ça !

— J'ai justement une semaine à prendre avant Noël et je suis claquée ! Ce serait peut-être une bonne idée. Je peux y penser ?

— J'accepte toutes les réponses sauf non ! Je vais m'occuper de tout ! plaide Charles. Toi, tu ne feras que réserver ta semaine.

— Tu es vite en affaires !

— Je sais ce que je veux, c'est tout.

— Et moi, je fais partie de ce que tu veux ? hasarde Chloé, encore incertaine des sentiments de Charles à son endroit.

La serveuse arrive, sent qu'elle interrompt quelque chose d'important, pose leur entrée devant eux, sans s'attarder sur Charles cette fois-ci. Charles reprend la main de Chloé qu'il avait laissée, dit :

— Oui, tu fais partie de ce que je veux. Et j'ai envie de voir de quoi tu as l'air sur une planche de surf !

— Moi ? Sur une planche de surf ? fait Chloé, paniquée.

— Bien… oui, je vais te montrer, à la fin de la semaine, tu surferas comme une pro !

— Ça, c'est vraiment pas mon truc, le prévient Chloé.

— Ah non ? Pas grave, on ira faire de la plongée alors, et voir les poissons ensemble.

Soulagée, Chloé répond :

— Oui, je préfère la plongée et… la lecture dans une chaise longue.

— Parfait, pendant que tu lis, j'irai surfer ! déclare Charles.

Le cœur de Chloé bondit tant dans sa poitrine qu'elle se demande si ce n'est pas à l'hôpital qu'elle finira la soirée, pour se faire réanimer à l'aide d'un défibrillateur. Elle ressuscite bientôt.

— Dans ce cas, je veux bien partir avec toi, annonce-t-elle.

Chloé pense à ses fées de l'amour, qui ont tout fait pour l'aider, qui lui ont concocté leurs potions magiques. Elle se dit qu'elles doivent avoir bien hâte d'avoir de ses nouvelles. Elle sourit.

— Tu trouves ça drôle ? demande Charles.

— Non, non, fait Chloé.

Elle ajoute :

— Tu m'attends ? Je dois aller aux toilettes ! Ça ne sera pas long !

— Oui, fais vite ! répond-il.

Chloé s'en va vers les toilettes, le cœur léger, le menton haut, elle flotte presque entre les tables, pousse la porte. Aussitôt entrée, elle écrit un texto à ses trois amies : « Je suis si heureuse, vos potions font toujours effet, je pars en voyage avec lui ! Je crois que, cette fois-ci, c'est la bonne, et j'ai enfin, enfin, enfin trouvé l'homme que j'aime et qui veut s'engager », puis elle choisit des lèvres rouges en forme de baiser et appuie sur la touche « Envoyer ».

54

Course à vélo

Les cyclistes de l'équipe Henry & Sainte-Marie se tiennent sur la piste, prêts à partir au timbre sonore et à accomplir leurs tours sur le circuit Gilles-Villeneuve. Ils devront faire une course à relais pendant quarante-huit heures consécutives. Sarah a gagné son pari. Elle a réussi à doubler l'objectif de la campagne, préalablement établi à cent mille dollars par Elliot, dans le but de ramasser des fonds pour venir en aide aux enfants hospitalisés à Sainte-Justine. Elliot a tenu promesse et a versé de sa poche le même montant collecté par ses employés.

Le reste de l'équipe se tient en bordure de la piste, tape des mains pour encourager les employés qui partiront sous peu. Mille trois cents personnes travaillant pour cent cinquante compagnies participent à l'événement. Natasha, qui n'a plus adressé la parole à Sarah depuis la fameuse histoire du baiser dans l'armoire à balais – même qu'elle s'emploie à liguer tout le monde contre elle –, se glisse à travers la foule pour la rejoindre devant le kiosque de l'agence, où s'affaire d'habitude le personnel des écuries de formule 1. Elle lui murmure à l'oreille :

— Êtes-vous au courant de ma décision ?

— Euh… non, laquelle ?

— J'ai décidé de vendre mes parts, j'ai trouvé quelqu'un qui m'a semblé très intéressé à acheter, il a dit qu'il était prêt à tout pour engloutir Henry & Sainte-Marie dans son entreprise, une espèce de fusion ou quelque chose du genre.

— Pourquoi feriez-vous ça, Natasha ? C'est vous qui y perdriez au change, vous perdriez l'agence !

— On parle d'un montant substantiel. Avec ça, je n'aurais même plus besoin de travailler !

— Mais vous ne pouvez pas vendre comme ça ! Elliot détient la moitié des parts, il ne vous laissera pas faire !

— Pas cinquante, Sarah, mais bien quarante-neuf pour cent, et… pas besoin d'un MBA pour compter mon pourcentage. Eh oui, laisse-t-elle tomber, je peux tout faire, vous entendez, tout !

— Je ne vous crois pas, ce n'est pas vrai que vous détenez cinquante et un pour cent des parts !

— Demandez à Elliot, vous êtes si près de lui, dit Natasha en ricanant méchamment, il vous le confirmera, lui. C'est moi qui ai mis tout l'argent dans l'entreprise au départ, mon ex était sans le sou. Je n'ai exigé qu'une chose : comme c'est moi qui risquais gros, je voulais la majorité, voyez comme ça me sert aujourd'hui ! Oui, un bon calcul !

— Est-ce qu'Elliot est au courant de ce que vous vous apprêtez à faire ?

— Bien sûr qu'il est au courant, voyons ! Vous ne l'emporterez pas au paradis, Sarah ! C'est lui qui a brisé notre entente, ce n'est pas moi ! Vous allez me le payer cher, tous les deux !

Les yeux de Sarah se voilent. Son monde s'écroule une fois de plus. Pourquoi Elliot lui a-t-il encore dissimulé quelque chose ? Ces histoires de cachotteries ne devaient-elles pas être finies entre eux ?

— Qu'est-ce que je peux faire pour que vous ne vendiez pas l'agence ?

— Rien ! s'exclame Natasha. Tout est déjà dans les mains des avocats, le processus est enclenché, ma chère, dans quatre jours, cinquante et un pour cent des parts de Henry & Sainte-Marie seront achetées par Hubert Korniac.

Sarah s'écrie :

— Pas Hubert Korniac ! Vous ne pouvez pas faire ça, c'est notre plus grand compétiteur ! Il aura le pouvoir de tout décider, en étant majoritaire ! Il pourra écraser Elliot à sa guise !

— C'est bien pour ça que c'est à lui que j'ai pensé ! lance Natasha. Qu'est-ce que vous croyez ? Je ne suis pas stupide ! C'est le but d'Hubert d'ailleurs. Il a dit qu'il s'opposera à tous ses projets, va tellement le contrarier, en somme, qu'à la fin Elliot ne voudra plus qu'une chose, c'est de vendre ses parts. Hubert finira par l'acheter pour une bouchée de pain. Beau plan de match, n'est-ce pas ?

Natasha regarde l'ongle de son index, le gratte avec son pouce, puis enfin, pose un regard hautain sur Sarah.

— Vous ne pouvez pas lui ôter son agence, c'est toute sa vie ! s'insurge Sarah.

— Oui, je le peux ! rétorque Natasha-la-plus-que-vautour.

Sa cruauté dépasse largement ce que Sarah avait même pu imaginer. Jamais elle n'avait envisagé un tel scénario. D'ailleurs, elle n'était même pas au courant qu'Elliot était minoritaire.

— Vos griffes sont bien acérées, Natasha, vous avez du poison qui coule dans vos veines et une pierre à la place du cœur. Je ne sais pas comment vous faites pour vous regarder dans le miroir ! C'est le diable qui vous habite, vous faites peine à voir !

Sarah fuit cette ignoble femme, qui détient son bonheur ainsi que celui d'Elliot entre ses mains. Les yeux voilés de larmes, Sarah se taille une place parmi la foule, alors qu'un coup de feu résonne, annonçant le signal du départ de la première équipe.

Arrivée au deuxième étage des écuries, là où toutes les tentes sont montées pour le week-end puisque les participants doivent dormir sur place pendant deux nuits, elle repère la jolie tente qu'elle a reçue chez elle au courant de la semaine. Autre cadeau d'Elliot, avait-elle conclu aussitôt. Elle ouvre la fermeture éclair, se glisse à l'intérieur, referme aussitôt derrière elle. Elle s'assoit, entoure ses jambes de ses bras, pose la tête sur ses genoux puis se berce pour atténuer sa souffrance.

Son cœur se serre lorsqu'elle pense à ce qu'elle pourrait faire pour aider Elliot.

Qu'est-ce que j'ai donc fait pour mériter un tel karma ? Il faut que je parte, que je quitte mon travail et que je quitte Elliot, c'est la seule chose qui ferait que, peut-être, Natasha abandonnerait son projet ! Il ne peut pas tout perdre à cause de moi ! Dieu ! Comme c'est difficile, la vie ! Pourquoi tous les malheurs me tombent toujours sur la tête ? Pourquoi le destin s'acharne encore sur moi ? Va voir ailleurs, si j'y suis ! Tu ne trouves pas que j'ai eu mon lot de malchances ?

Natasha a bien calculé son coup, en vendant ses parts à un compétiteur, elle frappe où ça fait le plus mal.

L'agence d'Elliot, c'est comme son bébé, son rêve.

Elle entend des employés rire tout près de sa tente, en parlant de leurs performances. Elle se dit qu'elle doit se maîtriser, que tout l'événement repose sur elle. Elle tire son petit miroir de son sac, sèche ses pleurs, et du revers de son chandail, essuie le mascara qui a coulé sous ses yeux. Elle ressort, affiche un grand sourire bien qu'elle se sente l'âme torturée à en mourir.

Du courage, Sarah, du courage, ce week-end doit être parfait, et personne ne viendra faire du sabotage dans ton événement ! Pas même Natasha-la-vautour !

Sarah reprend des forces, pense à tous ces employés qu'elle n'a pas arrêté de talonner pour qu'ils amassent de l'argent et, forte d'une énergie nouvelle, se fraie un chemin parmi la foule, s'installe sur le côté de la piste et hurle en sautillant, tout en tapant des mains:

— *Go! Go! Go!* Bravo! Yé! Vous êtes capables! *Go! Go! Go!* Yééééééé!

Elle met deux doigts dans sa bouche et siffle un bon coup, comme un ami le lui a montré lorsqu'elle n'était qu'une enfant. À sa grande surprise, elle arrive à émettre un son strident. Il faut dire qu'elle ne s'est pas exercée souvent dans sa belle maison de Westmount et dans les endroits chics qu'elle fréquentait avec Adam, son ex-mari. Enfin, elle sent une main passée sous son coude en catimini, se retourne et tombe dans les yeux d'Elliot. Il regarde au loin, sérieux, a l'air déchiré.

Natasha lui a dit qu'elle m'a mise au courant, c'est certain!

Sa main se déplace subrepticement, se glisse sous le chandail de Sarah, s'arrête sur sa hanche, les doigts sur son ventre.

Elle se sent soudée à lui. Une larme coule sur sa joue. La main d'Elliot se retire. Sarah le suit du regard. Elliot se poste à côté de son vélo, enlève son chandail, passe la main dans ses cheveux défaits. Elle voit ses muscles se tendre, son torse athlétique, son ventre aux abdominaux bien définis, tout ça lui rappelle son unique nuit avec lui, ce beau corps qu'elle a caressé, qui l'a fait jouir bien des fois. Comme elle a encore envie de lui. Il met un nouveau chandail, endosse son brassard. Elle n'a qu'une idée, s'enfuir avec lui là où tout est possible.

Mais plus rien n'est possible justement.

Que faire maintenant?

La journée se déroule parfaitement, les équipes se relaient, l'atmosphère est festive. Elliot et Sarah sont occupés, il y a toujours des gens autour d'eux, ils ne peuvent se parler. Comme tous les employés, Sarah a fait ses tours de piste au courant de la journée. Elle a mal partout, et surtout, elle n'est plus capable de s'asseoir tellement ses fesses la font souffrir. Le vélo de marque Porsche, prêté pour l'événement pour les gens qui n'en ont pas, donne fière allure à Sarah, mais s'avère très inconfortable malgré sa valeur de cinq mille dollars.

Arrivés à l'heure du souper, les participants qui ont terminé se rejoignent sous un immense chapiteau, font la queue avec leur assiette dans les mains. Autres dons de grandes épiceries ou traiteurs. Les courses à relais se poursuivent non seulement toute la soirée, mais toute la nuit. Sarah devra se lever à quatre heures du matin pour enfourcher son vélo et faire une autre course. Elle se joint à un groupe pour manger, fait comme si de rien n'était, affiche une joie qu'elle n'éprouve pas. Des gens viennent la voir pour régler certains détails, elle supervise tout.

La nuit venue, elle se retire, va se doucher dans la remorque aménagée, puis retourne dans sa tente pour se reposer avant de prendre son tour de nuit. Elle déballe une petite pochette préparée par Elliot, y découvre une lampe de poche, des pansements adhésifs, des petits ciseaux, des Tylenol, un couteau suisse, et bien d'autres articles pour le parfait campeur ! Ces menus objets ont le pouvoir de la faire sourire. Elle se glisse dans son sac de couchage, autre cadeau d'Elliot. Munie de sa lampe de poche, elle tente de lire un peu, mais elle est incapable de se concentrer. Elle ne cesse de penser à Elliot. Il est si près. Elle se tourne et se retourne dans son sac, jongle avec ses sombres pensées, étudie toutes les avenues imaginables, et aboutit toujours le nez contre un mur.

Une seule solution, toujours la même, s'impose à son esprit : elle doit quitter non seulement l'agence, mais aussi Elliot. Peut-être que Natasha va laisser tomber ses idées de vengeance si elle n'est plus là. Son châtiment deviendra inutile.

Mais elle a tant besoin de se retrouver dans ses bras. De goûter à l'amour avec lui une fois de plus. Qu'il la fasse jouir encore et encore comme il l'a si bien fait. Finalement, elle n'en peut plus. Elle enfile un chandail, couvre sa tête à l'aide du capuchon, met un pantalon de jogging, ses baskets qu'elle noue à peine. Adoptant la démarche d'un ado, elle se traîne les savates, les mains fourrées dans les poches, la tête penchée, et s'avance silencieusement à travers les tentes. Elle repère celle d'Elliot un peu à l'écart. Tout est tranquille autour. Elle scrute la pénombre, et comme elle constate que le chemin est libre, vite, elle se met à genoux, ouvre la fermeture éclair et se glisse à l'intérieur.

Elliot se réveille brusquement, a juste le temps de dire « Mais qu'est-ce que... » avant que Sarah ne lui plaque la main sur la bouche, puis la retire pour poser ses lèvres à la place. Elliot se lève sur un coude, nu dans son sac de couchage, il la renverse sur le côté, lui chuchote à l'oreille :

— Petite gamine, je t'aime...

55

S'aimer dans le noir...

Avec fougue, Elliot embrasse Sarah, glisse la langue dans sa bouche, pose ses lèvres sur son cou, lui retire sa capuche, la dénude à une vitesse folle, à la mesure de son désir.

Il l'investit bientôt, veut la posséder tout entière. Recréer la magie de la seule nuit où il lui a fait l'amour. Sarah grimace un peu sous la douleur, laisse échapper un petit cri.

— Je t'ai fait mal ? demande Elliot, inquiet.

— Non, mon amour, ce n'est pas toi, dit-elle en souriant.

— Dis-moi, c'est qui, ce salopard ?

Sarah pouffe de rire, et Elliot lui met la main sur la bouche pour atténuer le son.

— C'est ce foutu vélo Porsche !

Alors Elliot lui fait l'amour tout doucement, silencieusement. Ils s'aiment dans la nuit, étouffent le bruit de leurs rires, de leurs baisers.

— Mais pourquoi ne m'avoir rien dit ? murmure Sarah alors qu'ils se reposent, nus, vissés l'un à l'autre, dans le sac de couchage.

— Parce que je ne voulais pas t'embêter, que tu penses que tout ça est de ta faute, puisque ce n'est pas le cas. C'est mon erreur d'avoir accepté ce pourcentage inégal, je n'aurais jamais dû, mais j'étais sans argent, nous étions jeunes, Natasha venait d'hériter d'une grosse somme, ses parents sont morts tragiquement dans un accident de voiture. À l'époque, elle n'était pas comme ça, c'était une femme douce, gentille. C'est sa maudite drogue aussi ! Elle est déjà allée en désintox, mais elle a recommencé aussitôt.

— Qu'est-ce qu'on peut faire, Elliot ?

— Il n'y a rien à faire, rien, répond-il en la serrant dans ses bras. Elle a tous les pouvoirs. On attend. Elle a convoqué une réunion mardi à une heure avec l'avocat et l'acheteur. Je n'irai pas jusqu'à la supplier, c'est certain. La seule chose qui compte, c'est que je t'aime, fait-il tendrement en l'embrassant.

— Mais tu vas tout perdre !

— Pas tout, je t'ai, toi. C'est tout ce qui m'importe.

— Ma décision est prise, Elliot. Je vais quitter l'agence.

— Non, je ne veux pas ! Je te l'interdis ! Je savais que tu voudrais faire ça, c'est pour cette raison que je ne t'ai pas parlé de son plan. Mais Natasha s'en est chargée, elle ne sait plus où frapper pour que ça fasse encore plus mal, elle a bien vu que tu n'étais pas au courant, elle voulait que tu souffres.

— Tu as un espoir qu'elle arrête tout si elle voit que je suis partie !

— Non ! Il n'en est pas question. Tu as de fortes chances de garder ton emploi, une fois Natasha partie. Korniac n'est pas fou, il va te garder.

Sarah doit se détacher de lui à grand-peine puisque son tour de piste arrive bientôt. Elle remet ses vêtements, couvre ses cheveux blonds de sa capuche pendant qu'Elliot ouvre la fermeture éclair de la tente doucement. Tout l'étage baigne dans le noir. Avant qu'elle ne parte, il la retient, prend son visage à deux mains, l'embrasse une dernière fois, puis sort un peu la tête pour vérifier si le chemin est libre, lui donne une petite tape sur les fesses et chuchote à son oreille :

— Vas-y, maintenant !

Sarah repart, tête baissée, va rejoindre son groupe dans la nuit, endosse son brassard et enfourche son vélo en grimaçant. Elle entend aussitôt une voix grave et familière :

— *Go ! Go ! Go !* Bravo ! Vous êtes capables !

Puis un bruit strident de sifflet parvient à ses oreilles, elle se tourne un instant. Elliot lui fait un clin d'œil complice. Elle sourit, se sent heureuse d'être aimée de lui.

L'homme qu'elle aime.

Elle est décidée, elle va remettre sa démission et elle va cesser de le voir. Elle est prête à tout sacrifier pour qu'il garde entreprise.

Le lendemain matin, lorsqu'elle reprend son tour et enfourche son vélo, elle s'apprête déjà à grimacer en s'assoyant – il faut dire que la folle nuit dans la tente n'a pas arrangé les choses –, mais elle sent un confort nouveau sous ses fesses. Elle se relève et constate que le siège a été recouvert de deux coussins en mousse. Elle sourit en pensant à Elliot. « Hum ! Pas mal », fait-elle, en se brassant le derrière sur la selle.

La journée se passe sans encombre, même si Sarah n'a pas cessé d'avoir la larme à l'œil. Au souper, lorsqu'elle croise Elliot, il lui souffle à l'oreille :

— Tu viens me rejoindre, cette nuit ?

— Oui, je n'y manquerai pas, lui répond-elle à voix basse.

La nuit venue, elle refait le même stratagème, se déguise en garçon et va rejoindre son amoureux sous sa tente. Flambant nu, il ouvre son sac de couchage pour l'accueillir. Sarah se blottit tout contre lui, le caresse pendant qu'il s'emploie à lui retirer son pantalon. L'espace les restreint un peu, mais ils arrivent à rouler l'un sur l'autre et à prendre leur tour à dominer la situation, se prodiguant caresse par-dessus caresse, ce qui leur procure tout un éventail de sensations et de plaisirs grandement partagés. Ils font l'amour en silence, en étouffant leurs bruits de jouissance, exacerbée par les circonstances, les interdits, les problèmes qu'ils rencontrent sur leur chemin et qui causent sans cesse de nouveaux obstacles à leur amour.

Alors qu'ils se reposent, Elliot dit :

— Promets-moi que tu vas rentrer au travail lundi, je refuse que tu te sacrifies ! On va trouver notre bonheur ailleurs, il faut rester ensemble, Sarah.

Bouleversée à l'idée de le quitter, de l'entendre parler de leur bonheur, comme s'ils étaient un couple, le couple idéal, celui qu'elle recherche depuis si longtemps et qu'elle a enfin réussi à trouver, elle répond tout de même :

— Je suis désolée, Elliot, je ne peux pas te promettre ça. Un jour, peut-être pas demain, ni la semaine prochaine, ou le mois prochain, ni même l'année prochaine, mais un bon matin, tu te lèveras et tu me le reprocheras. Bien sûr, ce ne sera pas aussi net, mais ce doute tuera notre amour. Tu ne voudras plus de moi. Et ce jour, je ne suis même pas capable de l'imaginer tellement je t'aime.

— Non, ce n'est pas vrai, jamais je ne te laisserai, jamais je ne cesserai de t'aimer.

Sans mot dire, Sarah se réfugie dans les bras de celui qu'elle aime.

— Épouse-moi, je t'en prie, Sarah, épouse-moi !

Sur le coup, Sarah ferme les yeux, son cœur lui fait trop mal. Les yeux noyés de larmes, elle se lève, se rhabille, car son tour de vélo vient bientôt. Elliot l'aide à retrouver ses vêtements épars, alors qu'il sent un nœud se former dans son estomac. Une fois prête, Sarah s'accroupit devant la fermeture éclair pour l'ouvrir, mais Elliot la retient, la fait basculer vers l'arrière. Il prend son visage dans ses mains, la fixe intensément, l'embrasse passionnément. Sarah profite de ce dernier moment, tandis que de grosses larmes s'échappent de ses yeux. Elle se relève et déclare :

— Si on se marie, jamais elle ne te le pardonnera. Adieu, mon amour, ajoute Sarah en embrassant Elliot une dernière fois. Adieu, je t'aime.

Elle ouvre la glissière, se faufile dans la pénombre, va rejoindre sa tente, où elle enfile ses vêtements de vélo pour reprendre son tour de piste. Elle ressort habillée de ses cuissards, met son dossard à l'effigie de la compagnie, va accueillir les nouveaux arrivants. Elle hurle :

— *Go ! Go ! Go !* Bravo !

Le cœur en miettes, elle enfourche son vélo, commence à pédaler dans la nuit et la grisaille alors que la pluie naissante se mêle à ses pleurs et que résonnent en elle les mots « Épouse-moi ».

56

S'aimer avant de partir en voyage

À dix-huit heures, la vaillante Chloé, encore au bureau, reçoit un texto de Charles.

«Souper ce soir chez moi?»

«Suis encore au travail, mais ça me plaît.»

«Moi aussi. Je ne suis pas trop bon cuisinier, j'achèterai quelque chose chez le traiteur.»

«Je prends Rambo chez moi et je vais te rejoindre.»

«Tu connais l'adresse, je t'attends avec mon rival! Je suis bon prince, je vais commander pour ton molosse aussi:)»

«Tu es bien drôle!»

«Je prends maintenant des cours de karaté pour me défendre en cas d'attaque! À tout à l'heure.»

«Oui, il y a de quoi avoir peur, en effet!:)»

«Oh! J'oubliais! Prévois un pyjama et tes pantoufles, si jamais je te kidnappe pour la nuit et que je ne te laisse plus partir!»

Hum... pyjama... Quatrième fois qu'on se voit, ce soir, tout est permis! Il veut essayer voir si ça marche au lit avant le voyage. Bon calcul! Sait-on jamais.

* * *

Parvenue chez Charles à l'Île-des-Sœurs, Chloé appuie sur le bouton de l'interphone pour annoncer son arrivée. Elle monte à l'étage, s'extasie sur le condo, qui a le double de la superficie du sien, avec de grandes fenêtres donnant sur le fleuve. Tout est dans un style très moderne, design. Charles l'accueille chaleureusement, l'embrasse, l'emmène dans la cuisine, où une table est dressée, sur laquelle sont posées deux chandelles.

— C'est gentil de me recevoir, déclare Chloé.

— De vous recevoir, la corrige Charles en montrant un plat pour chien par terre, rempli de viande coupée en petits morceaux.

Touchée, Chloé s'empresse de dire:

— Merci, tu comprends, quand il a passé la journée à la maison, je ne peux pas le laisser seul le soir aussi.

— Bien sûr que non, fait Charles, de toute façon, on est copains, lui et moi.

Charles prend Rambo dans ses bras, l'approche de son visage alors que le petit chien en profite pour le lécher sous le nez.

— Coquin, va! lui dit-il en le remettant à sa maîtresse.

Chloé pose le chien sur sa couverture qu'elle traîne toujours avec elle, lui donne son petit os, qu'il se met tout de suite à gruger consciencieusement.

— J'aurais bien aimé te faire la cuisine, mais je ne crois pas que tu aurais apprécié, s'excuse Charles.

— Pas de problème pour moi!

— Tu cuisines, toi?

— Moi? Disons que je me débrouille!

— Rien de mieux que le partage des tâches, lance Charles.

Partage des tâches ? Il a parlé de partage des tâches !

Charles fait réchauffer ses plats pendant que Chloé s'approche d'une série de photos posées sur le manteau de la cheminée. L'une d'elles attire plus particulièrement son attention, où Charles tient une très belle fille par la taille.

— C'est ma sœur, précise-t-il, en observant Chloé, le nez à quelques centimètres de la photo.

Chloé lui sait gré de l'en informer. Elle voit sur une autre photo un couple plus âgé, elle demande :

— C'est tes parents, ça ?

— Oui, ils sont encore ensemble. Et toi ?

— Ma mère est décédée il y a quatre ans, un cancer foudroyant l'a emportée en quelques semaines. Mais mon père est vivant.

— Il s'est remarié ?

— Non, il ne veut pas, il dit que ma mère restera toujours la femme de sa vie.

— C'est beau de voir des couples unis, commente Charles.

Chloé est émue. Cet homme ne semble pas comme les autres qu'elle a rencontrés ces dernières années, qui ne pensaient qu'à la baiser. Elle sent que les choses sont différentes, qu'il a une profondeur qu'elle n'avait pas vue en lui.

Charles sert les plats du traiteur et ouvre une bouteille de vin rouge.

— Tu vois, dit-il, tu n'as pas à avoir peur de moi ! J'ai eu une enfance heureuse, des parents qui s'aiment toujours. Il n'y a rien que je trouve plus beau qu'une famille unie, j'ai un grand respect pour mes parents, ils ont toujours été là pour ma sœur et moi.

— Les miens aussi s'aimaient beaucoup. J'ai trouvé ça bien difficile de vivre tout ça, la maladie qui emportait et me volait ma mère petit à petit. Je me suis sentie si inutile, fait Chloé, qui ne peut réprimer le trémolo dans sa voix.

Voyant que Chloé est émue de se rappeler ces tristes souvenirs, Charles dépose sa bouteille de vin sur le comptoir et se rapproche d'elle pour l'étreindre.

— Je suis certain que tu n'étais pas inutile, que tu as toujours été là pour ta mère, dit-il pour la réconforter.

— Oui, j'ai été là pour elle, j'ai abandonné ma session même, mais j'aurais tellement voulu la guérir.

Charles retourne à la cuisine, sort des coupes et verse le vin. Il dit :

— Oui, je te comprends, ça a dû être vraiment difficile pour toi et ton père.

— Très difficile, laisse tomber Chloé. Mais changeons de sujet, c'est trop triste. On est ici pour s'amuser et se distraire, pas pour pleurer ! Non ?

— Viens t'asseoir, on va continuer notre conversation à table avant que mon souper soit tout refroidi, et qu'après, tu me reproches de ne même pas savoir réchauffer des plats cuisinés ! la taquine Charles gentiment.

Chloé sourit, s'assoit sur la chaise qu'il lui désigne. Il prend la coupe de vin, la lui tend, en s'exclamant d'un ton solennel, le bras derrière le dos :

— Madame Chloé !

Chloé éclate de rire.

— Mais on ne me prend pas au sérieux, ici ! s'offusque Charles, qui ne peut réprimer un sourire coquin.

À son tour, il prend sa coupe, la fait tinter contre celle de Chloé, et dit :

— Tchin ! À une si belle rencontre, même si elle m'a coûté un pare-chocs !

— Oui, à notre rencontre ! C'est pas si mal, un pare-chocs, ça aurait pu être pire !

— Huuum… grommelle-t-il pour toute réponse.

Ils discutent de tout et de rien, s'amusent, Charles la taquine souvent. Chloé ne lui parle pas de ses nombreuses tentatives visant à rencontrer un homme qui veut s'engager. Il n'a pas besoin de savoir ça, pense-t-elle.

Après le repas, il suggère :

— Viens ! On va finir notre vin sur le canapé.

Chloé le suit, s'installe à côté de lui. Il pose sa coupe sur la table, s'approche d'elle, lui enlève la sienne des mains, la met à côté. Le temps que Chloé se dise qu'il va l'embrasser, sa bouche est déjà sur la sienne et sa langue se fraie un passage entre ses lèvres.

S'il fait l'amour comme il embrasse, cet homme est le mien.

Il a bientôt les mains sur ses seins, elle sent son soutien-gorge se dégrafer comme par magie derrière son dos. Charles s'enhardit sous son chemisier. Puis, doucement, il cesse de l'embrasser, la regarde dans les yeux et murmure :

— Tu me plais, toi...

Soudainement, les défenses de Chloé tombent, elle n'a plus peur de lui, plus peur qu'il soit trop beau, peur qu'il ne veuille que faire l'amour avec elle. Elle sent son authenticité, son envie d'une relation stable, tout comme elle, peu importe ce qu'il a voulu avant. Elle répond :

— Tu me plais vraiment toi aussi.

Puis sans dire un mot, il l'entraîne vers sa chambre alors que Rambo se réveille et les suit. Il se couche au bord de la porte pour veiller sur sa maîtresse. Comme il sent bien qu'elle est heureuse, il ne se formalise pas de ce qu'ils font, se rendort après avoir poussé un profond soupir.

Charles et Chloé sont au pied du lit, enlèvent un vêtement, s'embrassent, en enlèvent un autre, s'embrassent à nouveau.

— T'as apporté ton pyjama ? demande Charles.

— Non, je crois que je n'en aurai pas besoin, affirme Chloé.

— Tu es si belle, lui dit-il. J'adore tes cheveux, c'est si rare, une rousse ! Et en plus, ils sentent si bon !

Merci, Sarah.

— Et toi, tu es un vilain crapaud, fait-elle.

Ils ricanent tous les deux, puis Charles la pousse sur son lit, l'embrasse, lui confie :

— Je suis bien content que ton Sébastien ait été en retard le jour où je t'ai vue seule sur la terrasse, sinon, je ne serais pas en train de t'embrasser aujourd'hui.

Elle s'apprête à répondre, mais il lui plaque un baiser passionné sur la bouche et dit :

— Tais-toi et embrasse-moi.

Elle roule sur lui dans le lit, mais il la fait tourner à son tour, de sorte qu'elle se trouve encore en dessous, elle rigole doucement, ne dit mot cette fois-ci, l'embrasse passionnément.

* * *

Seule au petit matin dans le lit de Charles, Chloé se réveille, regarde autour d'elle, se rappelle sa nuit, sourit. Enroulée dans le drap blanc satiné, elle va rejoindre Charles sur la pointe des pieds. Elle le trouve devant son ordinateur. Il lui fait dos et pianote sur son clavier. Elle s'approche de lui, passe ses bras autour de son cou, l'enrobe du même coup dans le drap. Il se tourne vers elle et dit :

— Ce que tu es belle dans mes draps, on dirait qu'ils sont faits pour toi tellement ils te vont bien.

— Tu es *cute*, fait Chloé, en jetant un œil sur son écran d'ordinateur.

— Mercredi matin, huit heures, Sainte-Lucie, ça te va ? lance-t-il.

57

Partir pour réfléchir...

Pendant que Sarah se débat au circuit Gilles-Villeneuve contre Natasha-la-plus-que-vautour, Brigitte, quant à elle, se débat pour sauver son couple. Le soir, lorsqu'elle va se coucher, des discussions interminables ont lieu avec son mari.

Ce soir-là, après s'être démaquillée, Brigitte retourne dans sa chambre. Jean s'y trouve déjà et se déshabille pour se mettre au lit, se promène nu pendant qu'il plie soigneusement son pantalon, met sa chemise en boule dans un panier prévu à cet effet pour être apportée chez le nettoyeur puis se couche en faisant dos à son épouse. Brigitte enlève ses vêtements, mais s'empresse de mettre une robe de nuit. Même si elle ne fait plus l'amour avec Christian, elle n'a pas plus envie de le faire avec son mari, n'éprouve plus rien pour lui. Elle le rejoint dans leur grand lit, ouvre les draps de son côté, toujours le même, malgré toutes les années qu'ils ont passées ensemble, les déménagements, son époque feng shui. Elle lui dit dans le noir :

— Écoute, j'ai pensé partir en voyage, je crois que j'en ai vraiment besoin.

— Où veux-tu aller ? demande Jean.

— Je ne sais pas, moi, en Italie, tiens ! J'ai besoin de partir pour réfléchir. Tu veux bien t'occuper des garçons ?

Jean se tourne vers elle, lui dit :

— Si c'est ce que tu veux, et que t'en as vraiment envie, vas-y, je vais m'occuper d'eux. S'il y a un problème, je pourrai toujours demander à ma mère.

— Merci de comprendre, murmure Brigitte.

Vers les cinq heures du matin, Brigitte, n'ayant pas fermé l'œil de la nuit, ouvre son ordinateur, vérifie ses courriels, rien de Christian, constate-t-elle. Puis elle va sur Google, cherche un billet d'avion pour l'Italie, trouve tout de suite une aubaine, un aller-retour pour deux semaines, un seul billet restant.

Le billet salvateur, celui que toutes les femmes qui veulent réfléchir rêvent de prendre.

Elle l'achète aussitôt. Elle partira le soir même.

58

Quand tout est perdu

Bien qu'Elliot ait tout fait, tout dit pour l'en empêcher, Sarah a annoncé sa démission à Natasha,
elle lui a dit qu'elle finirait la journée de collecte de
fonds pour ne pas nuire à l'événement, mais qu'elle ne
rentrerait pas le lundi. Même si elle adore son travail.
Elliot l'a appelée, lui a laissé de longs messages, mais
elle n'a pas répondu.

Le mardi matin, après une longue nuit d'insomnie,
elle va conduire ses jumelles à l'école lorsque son cellulaire annonce un texto. Elle lit :

« C'est la rencontre avec Natasha aujourd'hui, à
une heure, je t'en prie, sois là, j'ai besoin de toi. Je
t'aime. »

— Maman, qu'est-ce que tu as ? demande Léa, qui
voit bien que sa mère est troublée.

— J'ai un petit problème, mais ce n'est rien, ma
puce, je vais m'en occuper, rien de grave, dit Sarah
pour rassurer sa fille.

Camille, quant à elle, regarde par la fenêtre de la voiture, le visage fermé. Sarah jette un coup d'œil dans son rétroviseur.

Celle-là ne sera pas facile...

— Tout va bien, Camille ? l'interroge-t-elle.

Mais sa petite ne répond pas, ne la regarde pas. Sarah n'a pas la force de la réprimander. Près de la cour d'école, elle descend, embrasse ses jumelles, puis attendrie, les observe tandis qu'elles entrent dans l'école. À son retour, elle voit une voiture luxueuse garée devant chez elle. Un homme est assis dans les escaliers, l'attend. Son cœur fait un bond dans sa poitrine lorsqu'elle reconnaît Elliot. Elle se gare. Il vient à sa rencontre. Elle sort de sa voiture et court se réfugier dans ses bras.

— Sarah, reste avec moi, je t'en prie, j'ai tant besoin de toi !

— Viens, dit-elle, entrons !

— Je me fous de tout, dit-il, épouse-moi !

— Non, répond Sarah, je ne peux pas t'épouser.

— Tu ne m'aimes pas ?

— Oui, je t'aime, Elliot, je n'ai jamais aimé personne comme je t'aime ! Mais c'est impossible, nous deux, Natasha nous a eus. On doit tenter d'enrayer l'hémorragie. Il faut qu'on cesse de se voir. Promets-moi, Elliot, promets-moi que tu ne reviendras plus ici.

— Je ne peux pas te promettre ça...

— Promets-le-moi, Elliot, il le faut.

— Ça va, je te le promets. Mais à la condition que tu viennes avec moi au meeting cet après-midi.

— Ça va envenimer la situation, on ne peut pas, voyons, elle va être furieuse.

— Elle ne peut pas être plus furieuse qu'elle l'est déjà !

— Non, Elliot, ça n'a pas de bon sens.

— Alors permets-moi de rester ici jusqu'à la fin, lance-t-il en la serrant contre lui.

Sarah le prend par la main, l'emmène dans sa chambre, ils se regardent un instant, et vite, ils ôtent leurs vêtements et s'étendent tous les deux sur le lit. Sarah se soulève aussitôt, s'assoit sur lui, se penche pour l'embrasser, caresse son torse, elle n'a pas à se mouvoir sur lui bien longtemps puisqu'elle sent déjà poindre son désir. Elle glisse son membre en elle, a besoin de le sentir, se meut sur lui langoureusement.

Après avoir fait l'amour une seconde fois, ils se tiennent enlacés, attendent que les minutes s'écoulent.

Plus le temps avance, plus leur inquiétude grandit. Finalement, à midi, Elliot lui dit :

— Viens avec moi, je t'en prie, tu feras ce que tu voudras après, mais accompagne-moi ! J'ai peur de ne pas être capable de me contenir et de lui casser la figure, à cet enfoiré de Korniac, j'ai peur aussi de ce que je pourrais dire à Natasha. C'est un moment difficile, si tu es là, je saurai me contenir.

* * *

D'un côté de la table de conférence se tiennent Elliot et Sarah alors que l'avocat de Natasha et Hubert Korniac leur font face. Assise au centre, Natasha préside. Sarah, surprise, constate que son ex-patronne semble très nerveuse. Il faut dire qu'elle s'apprête à livrer l'agence aux mains de leur plus grand compétiteur.

L'avocat ouvre son dossier, distribue des documents à la ronde. Hubert Korniac ne peut réprimer un petit sourire en coin. Les jointures d'Elliot rougissent telle-ment il garde les poings serrés. Sarah regarde Natasha en silence, la mort dans l'âme. La femme vautour lui demande sèchement :

— Que faites-vous ici ? Vous n'avez pas été convo-quée, à ce que je sache !

— Elle m'accompagne, intervient Elliot, c'est ma conseillère.

Natasha les regarde tour à tour puis intime l'ordre de procéder. L'avocat explique les termes de l'entente, de la vente des parts de Natasha, tend les papiers d'abord à l'acheteur pour sa signature. Il dit :

— Signez ici et apposez votre paraphe sur toutes les pages.

Lorsque Korniac arrive à la dernière page, il lève les yeux, regarde Elliot et ricane. L'avocat récupère les documents, les pose devant Natasha. D'une main tremblante, celle-ci prend sa plume, jette un œil vers Elliot, qui soutient son regard. Au lieu de la haine, des injures qu'il aurait bien pu lui asséner en pleine figure, il affiche un air peiné, sans manifester le moindre désir de vengeance, résigné devant une fatalité à laquelle il ne peut se dérober. Sarah pose la main sur sa cuisse.

Natasha baisse la tête sur le document, mord le coin droit de sa lèvre inférieure, s'apprête à signer. Elliot a les yeux rivés sur le papier, sur la plume qui se pose dessus. Il attend, comme un condamné, sa sentence.

Natasha lève les yeux vers lui, le regarde fixement, comme si elle voulait lire dans ses pensées. Elle reconnaît cette tristesse dans son regard. Oui, la même tristesse qu'elle percevait chez lui lorsqu'il venait la voir dans les centres de désintoxication. Alors la rancœur de Natasha fond comme neige au soleil. Le temps est suspendu, plus personne ne dit mot. Tout à coup, et contre toute attente, Natasha dépose sa plume sur la table et déclare d'un ton posé, mais ferme :

— La séance est terminée. Maître Bélisle, rangez vos documents, jetez-les, faites-en ce que vous voulez, mais je ne signerai pas.

Hubert Korniac s'agite sur sa chaise, met son poing sur la table et crie :

— Comment ça ? Vous n'avez pas le droit ! On avait une entente !

— Parfois, même si on a une entente, on peut changer d'avis, dit Natasha, en se tournant vers Elliot.

Celui-ci n'en croit pas ses oreilles, il s'exclame :

— C'est bien vrai ? Tu ne vends plus tes parts ?

— Non, je ne les vends plus.

— Alors, on peut garder l'agence tous les deux ?

— Oui, on continue comme avant, ce n'était pas si mal, n'est-ce pas ?

Elliot se lève, embrasse Natasha, la serre dans ses bras. Malgré la bonne nouvelle, Sarah a quand même hâte qu'il desserre son étreinte ; ce qu'il fait aussitôt pour aller se poster près d'elle.

— Et pour Sarah ? demande Elliot.

Natasha lève la tête, dit :

— J'oubliais, il y a une condition à cette entente !

59

Où la joie déborde

— Je garde Sarah à mon service ! déclare Natasha.

Sarah se lève, crie sa joie, va vers Natasha, n'en finit plus de la remercier.

— Vous ne le regretterez pas ! Vous verrez !

— Ça, je sais. Et d'ailleurs, j'ai un petit service à vous demander : je dois partir pour un mois, dans un centre de santé, ajoute-t-elle, vous voudriez bien me remplacer ?

— Avec grand plaisir, fait Sarah, je vous ferai des comptes rendus tous les jours si vous voulez !

— Non, merci, réplique Natasha, je vous fais confiance. J'aurai besoin de toute mon énergie, là où je serai.

Elliot prend Sarah par la taille, dit :

— Hum ! Là, je perds un gros morceau, mais je veux bien te laisser à Natasha, je dois avouer que vous faites une bonne équipe, toutes les deux !

— Oui, j'ai eu une bonne intuition de vous engager, même si mon ex est tombé amoureux de vous, et vous de lui, à ce que j'ai pu voir aussi.

— Oui, répond Sarah, je l'aime.

— Et lui aussi vous aime, je le connais ! J'ai décidé de faire quelque chose de ma vie. Je vous laisse à votre bonheur, moi, je vais essayer d'attraper le mien ailleurs. J'ai été heureuse avec toi, Elliot, mais là, j'ai compris que tout est bien fini entre nous. Peut-être qu'un jour je pourrai être de nouveau heureuse avec un autre, enfin, à voir…

— Pourquoi pas ? fait Elliot. On était bien ensemble dans les premières années. Enfin, avant que tu… que tu…

— Oui, avant que je tombe dans la coke, poursuit Natasha. Je le sais, tout est de ma faute. J'ai réalisé que je rendais tout le monde malheureux autour de moi et que je perdais ma vie à vouloir détruire la vie des autres, et surtout la tienne, Elliot, je dois l'admettre.

Elliot la regarde, mais se tait.

— Je suis désolée, ajoute-t-elle.

Et sur ces mots, Natasha repart vers son bureau. Se retrouvant seul avec Sarah, Elliot l'embrasse, puis du bout de l'index, il tient son menton relevé vers lui, tout en la regardant intensément. Après un bref moment où Sarah sent sa gorge se nouer, il lui demande :

— Et maintenant, tu veux bien m'épouser ?

Sarah le regarde, si émue, si soulagée que de grosses larmes se mettent à couler de ses yeux.

— Oui, je veux bien t'épouser, répond-elle amoureusement, en riant et en sanglotant à la fois.

— Je t'aime, Sarah, je t'ai aimée dès le premier jour…

— Moi aussi je t'aime. Mais… ajoute Sarah, songeuse, tu m'aurais aimée si je ne t'avais pas aidé à décoincer ta fermeture éclair ?

Elliot sourit en pensant à leur rencontre et dit :

— Disons que cet incident a accéléré le processus, l'intimité s'est vite installée…

— Oui, pour ça, je suis tout à fait d'accord avec toi ! Je crois que nous sommes les seules personnes au

monde à être tombés amoureux dans de telles circonstances, répond Sarah en l'embrassant. Elle le regarde
tendrement puis ajoute, je suis si heureuse lorsque je
suis avec toi! Dans tes bras, je me sens forte, prête à
tout affronter…

Elle se serre tout contre lui, ferme les yeux, pousse
un petit soupir de contentement. Elliot la tient fermement, comme pour lui signifier que plus jamais ils ne
seront séparés. Enfin, elle lève la tête et lui demande
en plaisantant, comme une petite fille :

— Et ma… bague?

— Ha, ha, ha! fait Elliot de son grand rire.

Puis il fouille dans la poche intérieure de son
veston, sort un écrin de velours, qu'il lui tend. Surprise, Sarah bredouille :

— Mais… je ne comprends pas.

— Disons que j'avais le sentiment que tu accepterais
un jour, ma chérie, et j'ai juste pris un peu d'avance,
lance-t-il en la gratifiant d'un clin d'œil complice.

Sarah sourit alors qu'Elliot la fixe pour se souvenir
de ce moment, de l'air qu'elle fera lorsqu'elle découvrira
ce qui se trouve dans l'écrin. Avec beaucoup d'émotion, Sarah ouvre le joli couvercle rouge en forme de
cœur puis laisse échapper un «oh» admiratif :

— Elle est magnifique! s'exclame-t-elle.

Ce n'est pas que la bague soit si importante à ses
yeux, malgré la grosseur et la pureté du diamant, mais
plutôt ce que représente celle-ci qui plaît tant à Sarah.
En effet, vivre avec l'homme qu'elle aime constitue le
plus beau cadeau qu'elle ait pu recevoir.

— Oui, oui, mon amour, dès que j'aurai obtenu
mon divorce, la première chose que je veux faire, c'est
t'épouser, murmure-t-elle.

60

Sainte-Lucie

Au beau milieu d'une randonnée, près des sources d'eau chaude et des mares de soufre du volcan Soufrière, qui se situe de part et d'autre du Petit et du Grand Piton sur l'île de Sainte-Lucie, Charles, le cœur battant à tout rompre, attrape Chloé, qui vient tout juste de perdre l'équilibre sur le flanc escarpé de la montagne.

— Ouf! Tu m'as fait peur, dit-il, en mettant la main sur sa poitrine, je n'aurais pas voulu qu'il t'arrive quelque chose.

— J'ai cru que j'allais tomber! fait Chloé, visiblement soulagée.

— Fais attention, ne marche jamais près du précipice comme ça!

— Oui, je me croyais bien en équilibre pourtant.

— Je pensais que mon cœur allait s'arrêter! ajoute Charles en prenant la main de Chloé pour la mettre sur son torse.

Chloé arrondit les yeux de surprise en sentant les rapides pulsations cardiaques.

— On dirait que ton cœur veut sauter de ta poitrine !

— Oui, on dirait ! Ne refais plus ça, veux-tu ? Je ne voudrais surtout pas te perdre, j'ai l'intention de faire un bon bout de chemin avec toi, lui confie Charles, en l'embrassant tendrement.

— Que veux-tu dire par « un bon bout de chemin », une semaine, un mois, une année ?

— Je veux dire longtemps, répond Charles.

— Pour la vie ? hasarde Chloé.

— Pourquoi pas ?

— Alors, marions-nous si c'est pour la vie ! décrète Chloé gaiement.

Charles la regarde, un peu décontenancé, n'ayant pas prévu cette réponse. Elle n'est pas sans lui plaire, bien au contraire, mais il trouve sa copine bien téméraire de lui proposer une telle affaire. Malgré tout, comme elle ne cesse de le surprendre depuis leur première rencontre, il ne s'en formalise pas outre mesure.

— C'est bien la première fois que je me fais demander en mariage ! dit-il.

— Ça prend toujours une première fois ! avance Chloé. Mais si tu ne m'aimes pas assez pour ça, ça ne vaudra pas la peine de continuer à se voir.

Charles lui jette un regard incertain et interrogateur. Il bredouille :

— Et toi, tu m'aimes assez pour ça ?

— Moi ? Oui ! Enfin, si tu continues d'être cet homme que je connais.

— Ce que tu vois, c'est bien moi, déclare-t-il.

— Et alors ? demande Chloé.

— Tu ne trouves pas que c'est trop tôt pour ça ?

— Non, fait Chloé en ramassant son sac à dos par terre.

Visiblement déçue, elle commence à marcher, coupant court à leur escapade et empruntant le chemin du retour. Inquiet de la voir partir ainsi, Charles essaie de la retenir.

— Mais attends ! Je ne t'ai pas encore donné ma réponse, lance-t-il.

— T'as l'air si pressé de me la donner qu'on a le temps de retourner à Montréal à pied ! Ah ! Et puis laisse tomber, je n'aurais pas dû te mettre au pied du mur comme ça, c'est sorti tout seul…

Encore sous le coup de l'étonnement, Charles parvient à dire :

— Admets que tu m'as pris de court un peu, non ?

— Oui, je l'admets. Ah ! Oublie ça, rentrons ! J'en ai assez de cette conversation qui ne va nulle part. C'est la première et dernière fois que je demande un homme en mariage. Je vais voir si je peux rentrer plus tôt à Montréal, ou prendre une chambre de mon côté.

— Chloé, c'est que tu ne m'as pas donné beaucoup de temps pour te répondre et déjà tu veux repartir à Montréal !

— À prendre ou à laisser… déclare Chloé.

— Bien…

— Bien quoi ?

— Et si c'était moi qui te demandais en mariage maintenant ?

— Toi ?

— Oui, moi.

— Alors tu dis oui ? fait Chloé, incrédule.

— Bien, ce n'est pas ça que tu veux, que je dise oui ?

— Bien… oui ! répond Chloé en sautant dans ses bras.

— Hé ! Attention, si on veut se marier, il faut revenir à Montréal, dit Charles en riant. Et ensemble, ajoute-t-il.

Chloé fait mine de penser, plisse les yeux, lève la tête vers le ciel en faisant la moue. Elle lance :

— J'ai une idée ! Partons à Vegas et marions-nous la semaine prochaine !

— Comme ça ? Ce n'est pas un peu rapide ?

— Non, pourquoi attendre si nous nous aimons ?

— Bien, d'habitude, les femmes veulent toujours un grand mariage compliqué, et ça prend une année de préparatifs ! explique Charles.

— Bien pas moi, fait Chloé.

— Oui, j'oubliais, tu es différente des autres femmes que j'ai rencontrées ! Alors c'est oui, à Vegas la semaine prochaine, approuve Charles avec son petit sourire à faire craquer, ses yeux rieurs. Je te concède ça, mais à la condition que tu viennes habiter chez moi !

— Hum… tu négocies déjà, ça promet, j'oubliais que tu es avocat, toi aussi ! Alors oui, nous voulons bien aller rester chez toi !

— Mouais… je l'avais oublié, celui-là ! J'imagine que, ça aussi, c'est à prendre ou à laisser ?

— Oui ! Ça, ce n'est pas négociable !

— Bon, j'accepte, c'est oui pour Rambo aussi. Il pourra surveiller le condo lorsque nous serons partis.

— Oui, tu vas voir qu'il fera peur aux voleurs !

— Hum…

— Ah ! Je suis si heureuse ! s'écrie Chloé. Je t'aime…

— Moi aussi, je t'aime…

Chloé plonge ses beaux yeux vert émeraude dans ceux de son amoureux. Charles pose ses lèvres sur les siennes en la serrant très fort contre lui, puis il pousse un long soupir, soulagé à l'idée que cette aventure se termine dans le plus pur enchantement.

Enfin, ils s'assoient sur un rocher, déjà soudés l'un à l'autre comme s'ils ne faisaient qu'un, affichant tous deux le même petit sourire ravi. Ils admirent en contrebas le merveilleux paysage, les montagnes spectaculaires en forme de pointes, qu'on appelle des pitons, qui se découpent sur la mer étale. Ayant enfin trouvé le bon, l'homme qui veut s'engager, la belle Chloé, confiante en l'avenir qui se dessine devant elle, pose sa jolie tête rousse sur l'épaule de son amoureux.

— Tout ça est si soudain, commence Charles, et pourtant, je réalise que c'est ce que je désirais aussi au plus profond de moi. Je suis si bien quand je suis avec toi !

Chloé scrute le regard de Charles et encore sous le coup de la surprise, tente d'y déceler une faille mais n'y trouve rien d'autre que de l'amour.

— Tes yeux sont si beaux, ils ont pris la couleur de la mer, constate-t-il.

Chloé sourit et Charles tourne la tête, se perd dans le paysage enchanteur en fredonnant la chanson de Coldplay.

Green eyes, honey you are the sea upon which I float, the rock upon which I stand...

— Tu la connais, cette chanson ? demande-t-il.

— Oui, c'est ma préférée, répond Chloé.

C'est Justine qui avait raison, elle m'avait dit qu'un jour je rencontrerais un homme qui me chanterait Green Eyes. *Et que c'est cet homme qui me permettrait de vivre l'amour avec la bonne personne. Eh bien, le voilà, cet homme...*

61

Tristesse et euphorie...

De retour à Montréal, et toujours en vacances, Chloé se lève ce matin-là avec trois missions en tête : la première, passer au bureau pour s'assurer que tout va bien, la deuxième, aller voir Justine à la galerie, et la troisième, luncher avec Sarah. La nouvelle de son mariage lui brûle les lèvres, mais elle veut voir la mine stupéfaite de ses amies lorsqu'elle leur annoncera. Pour ce qui est de Brigitte, elle lui a envoyé un courriel puisqu'elle rentrera dans trois jours, juste à temps pour repartir vers Las Vegas !

Lorsque Chloé entre dans la galerie ce matin-là, après une courte visite au bureau, elle aperçoit Justine, debout, l'air accablé, en contemplation devant un tableau de Zib. Chloé s'approche, mais son amie est tellement perdue dans ses pensées qu'elle ne l'a pas entendue.

— Ça va, toi ? demande Chloé, inquiète.

Justine sursaute et pousse un petit cri.

— Ah! Tu m'as fait peur, dit-elle en mettant la main sur sa poitrine.

Les deux amies s'embrassent. Chloé hésite devant la mine tracassée de son amie. Il lui semble inapproprié d'annoncer sa bonne nouvelle.

— Je suis désolée, hum… on dirait que ça ne va pas trop bien, hein, affirme-t-elle, en voyant le teint blafard de son amie.

— Ce n'est pas facile, ces temps-ci, c'est vrai, admet Justine.

— Tu dois te changer les idées, sortir, voyons! Tu vas te rendre malade avec cette histoire de modèle et de baronne!

— Je n'en ai pas envie. Tout ce que je fais, c'est me promener avec les chiens, et puis je n'ai pas faim. Mais toi, tu as l'air radieuse! Ça a bien été, tes vacances, à ce que je vois? poursuit Justine, en prenant les deux mains de Chloé.

— Ouuuiiiii! ne peut s'empêcher de crier son amie. Excuse-moi, je ne veux pas te faire éclater mon bonheur en pleine figure, mais il faut vraiment que je te le dise! Je me marie, Justine! Oui, je me marie!

— Tu te maries? Toi? Mais c'est merveilleux! Je suis si heureuse pour toi! s'exclame Justine en embrassant de nouveau Chloé. Vous avez décidé de la date?

— Le week-end prochain!

— Hein? Le week-end prochain? Tu es folle ou quoi?

— Non! Juste pressée, j'en ai marre de perdre mon temps! Je me suis dit que, si ce n'est pas le bon, je le saurai assez vite!

— *Oh boy!* Bonne façon de précipiter les choses, lance son amie en souriant. Et dis-moi, où vas-tu te marier comme ça aussi vite?

— À Vegas! Je lui ai donné un ultimatum, c'est dans une semaine ou jamais! À prendre ou à laisser!

— Bien, dis donc! Tu parles d'une bonne nouvelle!

— Tu viendras, hein ? demande Chloé. J'ai vérifié, il y a de la place dans l'avion, je voudrais faire les réservations au plus tard demain.

Pensive, Justine ne répond pas tout de suite.

— Tu viendras, Justine ? répète Chloé, inquiète devant l'hésitation de son amie.

— Bien sûr que je veux aller à ton mariage, mais seulement si ça ne te dérange pas d'avoir un zombie au cœur en miettes comme un biscuit soda écrabouillé.

Les beaux yeux verts de Chloé se remplissent d'eau. Elle dit :

— Oh ! Merci, Justine, parce que je ne peux pas me marier si tu n'es pas là ! Je ne suis même pas capable de l'imaginer ! Tu me manquerais beaucoup trop, et je ne pourrais pas être complètement heureuse, tu es trop importante pour moi.

— Et Sarah, Brigitte ? demande Justine. Elles le peuvent ?

— Je n'en sais rien, j'espère que oui ! J'ai envoyé un courriel à Brigitte, je n'ai pas eu sa réponse encore. Il reste Sarah. J'ai une idée, mais je t'en reparlerai cet après-midi !

— Qu'est-ce que tu vas encore me sortir, toi !

— Surprise ! Là, je dois vraiment y aller !

* * *

Chloé la quitte pour aller dîner avec Sarah, qui lui a donné rendez-vous dans un petit restaurant à côté de son bureau. Lorsqu'elle entre, Sarah y est déjà installée. Les amies s'embrassent tandis que Sarah s'extasie sur la mine réjouie de Chloé.

— Commandons tout de suite, et après, j'ai une grande nouvelle à t'annoncer.

— Bonne idée ! approuve Sarah.

Les deux amies plongent le nez dans leur menu, font un choix rapide.

— Alors, cette nouvelle ? demande aussitôt Sarah.

Chloé prend son sac, en ressort une enveloppe, la tend à Sarah.

— Tiens, ouvre! fait-elle.

— Tu m'intrigues, dit Sarah en soupesant l'enveloppe.

— Mais ouvre donc!

Sarah décachette l'enveloppe, lit la procédure «Jugement de divorce».

— C'est pas vrai! Ne me dis pas que je suis enfin divorcée! Je ne peux pas le croire, s'écrie Sarah, la larme à l'œil.

— Oui, c'est bien vrai, répond Chloé, et ce n'est pas tout, continue-t-elle, les yeux pétillants de malice, tu es bien assise?

— Oui! Cesse de me faire languir, vas-y!

— Je me marie!

Sarah fronce les sourcils, bredouille:

— Toi aussi, tu vas te marier? Mais... mais... avec Charles ou Sébastien?

— Charles! Il m'a fait la grande demande! Enfin... m'a fait la grande demande, façon de dire les choses!

— Chloé! C'est fantastique! Je suis si heureuse pour toi!

— Et ce n'est pas encore tout! reprend Chloé.

— Qu'est-ce que tu as encore dans la tête, toi!

— Je veux qu'on se marie ensemble, toi et moi!

— Toi et moi? Tu veux dire un mariage double?

— Ooouuuiiii! Tu peux te marier maintenant, toi aussi, tu es officiellement divorcée! J'ai tellement eu peur que Charles change d'avis, que je l'ai mis au pied du mur pour qu'on se marie le week-end prochain!

— Huum... le week-end prochain, c'est un peu tôt, non?

— Pourquoi pas?

— En effet... pourquoi pas? admet Sarah. Mais attends! Je dois demander à l'intéressé!

— Vas-y, demande-lui tout de suite !

— Laisse-moi lui envoyer un texto, il va penser que je suis complètement folle ou tombée sur la tête.

Sarah texte :

« Mon amour, si ta demande en mariage tient toujours, c'est désormais possible, mais à une condition : le week-end prochain à Las Vegas, mariage double avec Chloé !! »

Et elle appuie sur la touche « Envoyer ».

— On attend, fait-elle. On verra si ta méthode fonctionne sur lui aussi !

Les deux amies se croisent les doigts, puis se tiennent les mains sur la table. Elles n'osent briser le silence. Les yeux rivés sur le cellulaire de Sarah, elles attendent. Lorsque le bruit de clochette se fait entendre, elles frémissent. Sarah lit :

« Oui, ma chérie, je veux tout ce que tu voudras, pour maintenant et pour l'éternité. »

Les deux amies poussent un cri de joie, se lèvent, s'embrassent, s'étreignent, sautillent, dansent sur place.

Le serveur vient prendre la commande. Sarah s'exclame alors :

— On se marie !

— Félicitations ! fait le serveur. Moi aussi, je suis gai, ajoute-t-il.

Les filles pouffent de rire et ne prennent pas la peine de rectifier ce petit malentendu.

Alors qu'elles en sont au café, Chloé prend son téléphone.

— Laisse-moi vérifier mes courriels, annonce-t-elle, pour voir si Brigitte m'a répondu.

Elle regarde et s'écrie :

— Yé ! Elle a répondu.

Elle lit :

« Je ne manquerais ton mariage pour rien au monde, ma belle Chloé. »

Chloé répond aussitôt, en disant à voix haute ce qu'elle écrit :

« Non seulement le mien, mais celui de Sarah aussi, oui, tu as bien lu, en même temps ! »

Puis les deux amies éclatent de rire à nouveau.

62

Le retour du mouton égaré

Ce matin-là, très tôt, Justine fait ses bagages pour Las Vegas. Elle est heureuse pour ses amies, mais elle ne peut chasser la tristesse qui l'habite depuis son retour de Paris. Zib l'appelle tous les jours. Elle sent qu'il s'inquiète pour elle, mais elle n'y peut rien, les soupçons qu'elle entretient à son égard ne la laissent pas en paix. Elle l'imagine dans son atelier, peignant son beau modèle à la tresse dorée, revoyant son geste alors qu'il avait replacé la tresse plus près de son mamelon et pense au peu de distance qu'il y a à parcourir pour y poser la main. Elle s'inquiète encore de sa présence chez la baronne, se rappelle son shampoing cent pour cent sirop d'érable, ce qui la fait sourire et même rire dans son angoisse. Plus le temps passe, moins elle croit à un mariage à distance. La nuit, elle se tourne dans son lit et, de la main, y cherche la présence de l'être aimé. Elle prend son oreiller, le serre contre elle, se sent triste à mourir. Elle voit son mariage à la dérive.

Avant de partir pour l'aéroport, elle décide de l'appeler. Plusieurs coups sonnent avant qu'elle entende : « Oui, bonjour ! » Cette voix de femme lui semble familière, dans sa tête, des paroles résonnent : « Ton mari, je vais me le farcir quand je voudrai ! » Justine ne dit rien, regarde le combiné alors que, dans sa poitrine, son cœur bat à tout rompre. L'interlocutrice reprend : « Allô, je vous écoute ? »

Alors elle raccroche tristement.

Elle se dit qu'elle a peut-être mal composé le numéro, qu'une voix de femme ressemble tellement à une autre, elle le refait, mais la ligne est occupée. Elle raccroche.

Elle boucle alors ses valises laissées sur son lit et part rejoindre ses amies à l'aéroport.

* * *

Quelques heures avant, à Paris, Zib bouclait les siennes.

Arrivé à Montréal, il saute dans un taxi, se rend au condo. Il monte les escaliers quatre à quatre. Dès qu'il entre, il crie :

— Justine !

Mais n'obtenant pas de réponse, il presse le pas, fait le tour des pièces en l'appelant à nouveau. Il sort aussitôt du condo, arrive nez à nez avec sa voisine de palier, qui a toujours le nez fourré partout. Empressé, il lui demande sans même la saluer :

— Vous avez vu Justine ?

— Oui, oui, répond la dame, elle m'a dit qu'elle allait se marier à Las Vegas ! J'ai trouvé ça bizarre…

— Se marier ? la coupe Zib, incrédule, mais elle est déjà mariée avec moi !

— Ah ! Vous savez, tout le monde peut se marier à Las Vegas !

Zib pense à Philippe ou peut-être à un autre homme, qui aurait été moins con que lui, qui aurait

vu sa belle épouse, seule à Montréal alors que son idiot
de mari vivait à Paris.

Il repart à la course, descend les escaliers quatre à
quatre, hèle un taxi, et fou de douleur, prend le chemin
de l'aéroport.

63

Un pèlerinage à La Mecque !
Oh boy !

Chloé, Charles, Sarah, Elliot, mais aussi Justine et Brigitte attendent leur vol avec impatience. Ils ont hâte de se retrouver à Las Vegas, sauf Justine, qui se force à afficher un air joyeux malgré sa peine. À un moment, Sarah souffle à Brigitte :

— Dis donc, regarde là-bas, tu ne trouves pas qu'il ressemble à Jean, celui-là ?

— Bien… oui, confirme Brigitte, *that's him*, suivons-le, voulez-vous ? Je ne comprends pas !

Puis les filles se lèvent, laissant Charles et Elliot ensemble. Elles courent à la suite de Jean, le suivent en catimini, se cachent dès qu'il se retourne. Il semble chercher quelqu'un puisqu'il ne cesse de regarder de tous les côtés.

— Mais où donc peut-il bien aller ? Il devait garder les enfants ! déplore Brigitte.

Les filles tentent de trouver une explication. Chloé avance :

— Tu lui as dit que tu partais à Vegas, il a peut-être décidé de venir avec nous ?

— Hum ! fait Brigitte, j'ai plutôt dit que j'avais besoin de plus de temps pour réfléchir et que je partais faire un pèlerinage à La Mecque.

— Pas en Arabie Saoudite ! s'exclame Justine.

— T'as pas dit ça ? demande Sarah en pouffant de rire.

— Eh oui, répond Brigitte, en roulant des yeux espiègles tout en mordillant sa lèvre inférieure. J'espère qu'il ne m'a pas trop prise au sérieux…

Les amies continuent à parler, mais s'essoufflent derrière Jean qui court presque. Elles le voient enfin s'arrêter devant un kiosque où les derniers passagers passent le contrôle d'embarquement. Jean s'adresse à l'employée, demande :

— Vous avez vu une femme prendre cet avion, je veux dire, une femme voyageant seule, avec un passeport canadien ?

— Moi, non, mais je viens juste d'arriver, réplique la dame en le toisant d'un air suspicieux.

— Ça va, fait Jean. Je vais aller voir.

Enfin, il se dirige vers le poste de contrôle, tend sa carte d'embarquement ainsi que son passeport, et finalement, il disparaît derrière deux femmes voilées et drapées de noir, accompagnées de leur mari.

Éberluées, les amies se jettent un coup d'œil, font une moue étonnée. Alors qu'elles s'apprêtent à partir, Brigitte s'exclame :

— *Holy shit !* Regardez celui-là qui arrive en courant, c'est Christian !

— Pas vrai ! s'écrie Sarah.

Encore plus décontenancées, les amies ne savent que dire, mais sont prises d'un fou rire.

— Tu lui as dit, à Christian aussi, que tu partais faire un pèlerinage à La Mecque ? demande Sarah.

— Euh… oui ! Ce matin, il m'a envoyé un courriel, il disait qu'il s'ennuyait de moi, j'ai dit ça comme ça, quoi! Je voulais lui montrer que j'avais encore besoin de réfléchir, pas que je partais m'amuser à Las Vegas! explique Brigitte.

— Mais ce n'est pas possible, allons voir où ils vont comme ça! suggère Sarah, en regardant, cette fois, Christian emprunter la même voie que Jean, tendre ses papiers et disparaître à son tour.

— Oui, allons voir le tableau! lance Chloé.

Les filles marchent à grande vitesse, rejoignent le comptoir. Elles voient le numéro de vol JED857.

— C'est quoi, cette histoire! laisse tomber Justine.

Brigitte demande à l'employée de service:

— Pardon, pourriez-vous me dire où va ce vol?

— À Djedda, répond la dame.

— Djedda? répète Brigitte en fronçant les sourcils.

— Oui, c'est le vol pour La Mecque.

— Ah! fait Brigitte, en arrondissant les yeux.

Devant l'agente, les amies répriment leurs fous rires, mais éclatent dès qu'elles s'éloignent, se tiennent le ventre tellement elles rient.

Brigitte parvient à dire entre deux hoquets:

— Ça leur apprendra aussi! C'étaient à eux de se décider avant!

* * *

Une fois dans l'avion, Jean et Christian, qui ne se connaissent pourtant pas, se retrouvent parmi barbes, hijab, niqab, burqa, et compagnie, cherchent Brigitte partout, s'approchent des femmes voilées, devant leurs maris outrés. Devant l'une d'elles, qui semble avoir les yeux de Brigitte, Christian est bien tenté de lever son voile, mais lorsqu'il remarque le regard noir que lui lance l'homme à ses côtés, il change vite d'idée. Finalement, ne la trouvant pas, les deux hommes se dirigent vers la sortie alors que l'hôtesse leur ferme la porte au nez.

— Attendez! crient-ils tous les deux.

— Trop tard ! décrète l'agent de bord, vous ne pouvez pas descendre !

— Mais… c'est une erreur, explique Jean, je croyais que ma femme était à bord de cet avion ! Je ne veux plus partir !

— Ça ne change rien, le coupe la dame, vous n'avez même plus de quoi descendre de l'avion !

Christian regarde Jean un moment, se demande si cet homme ne serait pas le mari de Brigitte puisqu'il cherche, lui aussi, une femme québécoise dans un endroit aussi inusité qu'un avion en partance pour La Mecque… Il se retourne vers les passagers, qui sont visiblement tous arabes, se dit : « *Oh boy !* On dirait qu'on est la minorité visible dans cet avion ! » Alors il se tourne vers Jean, lui tapote l'épaule et déclare :

— Allez, mon vieux ! On n'a plus le choix ! Allons faire un pèlerinage, nous aussi !

64

*Ce qui se passe entre les amies
reste entre elles !*

En riant comme des folles, les filles reviennent vers la porte où elles ont laissé Charles et Elliot. Même Justine, qui a momentanément oublié ses problèmes avec Zib, n'y a pas échappé. Intrigué, Charles demande :

— Qu'est-ce qui vous fait rire comme ça ?

— Rien ! répond Brigitte, en jetant un œil vers ses amies, implorant leur silence.

De toute façon, elles rient tellement qu'elles sont incapables de raconter quoi que ce soit. Mais surtout et avant tout, ce qui se passe entre elles reste entre elles.

On annonce maintenant leur vol en partance pour Las Vegas. Le groupe se met en file, mais lorsque vient leur tour de franchir la barrière, Justine dit :

— Vous ne voulez pas attendre encore un petit peu ?

Ses amies la regardent tristement.

— Tu crois encore qu'il viendra ? demande Chloé.

— Je le sens, répond Justine, il me semble qu'il est ici.

Compatissantes, les amies reculent un peu pour laisser passer les derniers passagers. À la fin, Brigitte dit doucement :

— On doit y aller, il ne reste que nous.

— Une minute encore ? les implore Justine.

Elles attendent encore un peu pendant que l'agent leur fait signe d'entrer. Les filles consultent Justine du regard.

— Passez les premières, leur lance-t-elle, moi, j'attends jusqu'à la toute dernière minute.

Alors que Chloé tend sa carte d'embarquement, elle entend crier Justine :

— C'est lui ! C'est lui !

Justine voit Zib courir à grandes enjambées vers elle, et comme une scène qui se joue au ralenti dans sa tête, elle le regarde continuer sa course vers elle pour la rejoindre. Elle manque s'évanouir d'émotion. Elle l'accueille dans ses bras, alors qu'il la fait tourner dans les airs. Elle s'écrie entre deux sanglots :

— Alors tu reviens ? C'est bien vrai que tu reviens ?

— Oui, je reviens !

— Je veux dire... tu ne repartiras plus pour Paris ?

— Non, plus jamais, l'assure-t-il, du moins, pas sans toi. N'en déplaise à Mme de la Villardière et ses amants ! ajoute-t-il en riant.

— Et à son modèle, ajoute Justine, en riant à son tour.

— Oui, à son modèle ! Elle m'a d'ailleurs confirmé que c'est la baronne qui l'avait invitée exprès pour semer le trouble entre toi et moi.

— Hum ! Je savais que je devais me méfier d'elles, aussi !

— Lorsqu'on retournera à Paris, ce sera tous les deux, en amoureux. Et toi, c'est quoi, cette histoire de mariage ? Notre voisine m'a dit que tu allais te marier à Vegas ? J'ai aussitôt sauté dans un taxi et j'ai acheté le premier billet !

— Bien… c'est Chloé et Sarah, elles se marient!

— Ensemble? s'étonne Zib.

— Mais non, pas ensemble, avec leur amoureux!

— Est-ce que je suis invité, moi? demande-t-il, l'air taquin.

— Oui, mon amour, tu seras toujours invité là où je serai, répond Justine.

Zib l'embrasse devant les amis réunis ainsi que l'employée, tous attendris. Cette dernière les rappelle bientôt à l'ordre :

— Allez! Il faut y aller là! On vous attend!

Le beau plan de Justine a fonctionné, non pas de la façon qu'elle avait d'abord imaginée, mais par le truchement d'une autre histoire, qui lui a chamboulé le cœur, mais qui, finalement, a encore renforcé l'amour qu'elle éprouve pour Zib, son mari, comme elle se plaît tant à dire.

65

Sin City !

L'avion vient tout juste d'atterrir à Las Vegas, ou *Sin City*, comme certains préfèrent appeler cette ville où tous les excès sont permis. Ou presque.

Côté femmes, l'unique préoccupation concernant la journée du lendemain : spa et essayage de robes de mariée achetées à distance dans une des luxueuses boutiques de la ville.

Côté hommes, à la suggestion de Charles : se balader en Ferrari, Jaguar, Lamborghini, ou autres, une activité offerte par une entreprise qui permet aux amoureux de voitures de luxe de conduire de tels bolides sur des routes panoramiques aux alentours de la ville.

Activités pour le moins différentes !

Une limousine les attend à l'aéroport pour les conduire à l'hôtel Wynn. Les autres invités arriveront par un autre vol le lendemain.

Le groupe d'amis se rend à la réception, passe dans le vaste hall de l'hôtel, où les mosaïques multicolores aux motifs floraux sillonnent le sol et guident les pas des voyageurs à travers les sentiers fleuris, au-dessus desquels de grosses sphères, tels des ballons de fleurs naturelles, sont suspendues aux arbres qui scintillent de mille feux. Comme il est tard, les amis se séparent, se donnent rendez-vous à huit heures pour le petit-déjeuner. Ils tiennent à être en pleine forme pour le grand jour.

Le lendemain matin, après une bonne nuit de sommeil, ils se retrouvent à la somptueuse terrasse du restaurant attenant à la piscine. Déjà, le soleil pointe et les serveurs s'empressent d'ouvrir de grands parasols dont une bruine légère s'échappe et rafraîchit l'air ambiant.

Elles sont quatre, ils sont trois.

Les hommes ont déjà sympathisé, malgré leur différence d'âge, tout comme elles. D'ailleurs, ils ont avantage à s'entendre puisque leurs conjointes sont si étroitement liées. Ils se proposent de belles virées au casino, choisissent l'auto qu'ils conduiront pour leur escapade de la journée, parlent de puissance de moteur, d'année où le modèle a changé. Enfin, toutes ces choses dont les femmes raffolent !

— On y va ? demande Justine, après un copieux petit-déjeuner.

— Ouuuiiii ! répondent Chloé, Sarah et Brigitte.

Ils se séparent : les hommes d'un côté, les femmes de l'autre !

Les quatre amies partent d'un bon pas vers la luxueuse boutique où les deux fiancées ont acheté leur robe de mariée. Dès leur arrivée, une vendeuse s'empresse de les accueillir et va chercher deux magnifiques robes longues blanches qu'elle suspend sur un crochet haut perché prévu à cet effet.

Une pour Sarah, l'autre pour Chloé.

La larme à l'œil, les amies poussent un « hoooon » admiratif qui n'en finit plus.

— On essaie ? demande Sarah à Chloé.

— *Yessss!* J'ai tellement attendu ce moment!

— Et moi donc! rétorque Sarah.

— Il fallait tomber sur le bon! Et ça, c'est pas mal plus long qu'on pense! lance Justine.

— Oui, pas facile de trouver l'homme qui a le chic, le chèque et le choc, et qui veut s'engager! claironne Chloé.

— Tu ne lui as pas donné le temps de changer d'idée! la taquine Brigitte.

— Ça, non! répond Chloé.

Sarah prend Chloé sous le bras, l'entraîne dans le salon d'essayage, où des fauteuils confortables, de couleur crème, sont prévus pour les invités. Des biscuits, du thé, un cruchon rempli d'eau fraîche parfumée de tranches de citron frais, sont posés sur une table d'appoint. Deux dames accompagnent les mariées pour les aider à enfiler leur robe. Chloé et Sarah sortent gracieusement de la salle d'essayage devant leurs amies ébaubies.

— Hooooooon! font-elles encore.

Elles sont resplendissantes, toutes les deux. Non seulement les robes sont magnifiques, mais en plus, en chacune des deux mariées brille une lueur nouvelle qui les embellit davantage. Elles ont trouvé l'homme idéal.

L'homme avec qui elles veulent partager leur vie.

Elles passent le reste de la journée dans le luxueux spa aux allures royales, où tout le monde murmure, et se prélassent dans les bains, dans une atmosphère des mille et une nuits. Elles en ressortent dans l'après-midi, toutes coiffées et maquillées, puis vont rejoindre le reste des invités, dont les hommes se sont occupés à leur arrivée. C'est-à-dire les deux filles de Sarah, accompagnées de leur grand-mère et de son nouveau copain, les parents d'Elliot et de Charles, la sœur de ce dernier et le père de Chloé. Un mariage très intime donc, où seuls les gens très proches ont été conviés.

Charles, Elliot, Zib et tous les invités les attendent dans l'allée, où des milliers de tulipes naturelles bordent un sentier.

Lorsque les amies arrivent, tout le monde est là, les attend. Sarah cherche ses filles, les retrouve occupées à parler avec Elliot, qui leur tapote gentiment le bout du nez. Lorsqu'il lève les yeux et voit Sarah, il s'accroupit au niveau des petites, les prend chacune par la taille, et il déclare :

— Voyez comme votre maman est belle. Un jour, peut-être que je vous raconterai comment nous nous sommes rencontrés…

— Ouiiii ! font-elles, puis elles se jettent dans les bras de leur mère.

— Lorsque vous aurez dix-huit ans, mes chéries, pas avant ! répond Sarah en riant alors qu'Elliot lui fait un clin d'œil.

Chloé est dans les bras de Charles et, attendris, ils regardent Sarah et Elliot.

— Nous aussi, on a une petite famille, avec Rambo, affirme Charles, mais je ne veux pas qu'on attende trop longtemps avant d'avoir de vrais bébés, pas de poils, j'entends.

— Quoi ? Quoi ? s'enquiert aussitôt le père de Chloé. Est-ce que j'ai bien entendu le mot « bébé » ?

— Oui, mon petit papa, tu as bien entendu, il a dit : « Je ne veux pas qu'on attende trop longtemps avant d'avoir de vrais bébés », répète Chloé pour savourer chaque mot.

Puis elle prend le bras de son père et, d'une voix tremblante d'émotion, lui chuchote :

— J'aurais tellement aimé que maman y soit !

— Elle y est, Chloé, elle y est. Ne la sens-tu pas ?

Tout à coup, un bruissement, un vent léger fait incliner la tête des tulipes alors que les lumières dans les talus baissent d'intensité. Chloé et son père regardent autour, rien d'autre ne bouge puisqu'ils sont à l'intérieur.

— Oui, je la sens, elle est ici, avec nous, acquiesce Chloé, en se réfugiant dans les bras de son père.

Puis tout le monde s'embrasse, et un rire contagieux se propage comme une traînée de poudre à travers la petite troupe.

Enfin, il est temps pour eux de repartir vers les limousines, qui les emmèneront faire une séance photo dans le Grand Canyon, où ils se rendront en hélicoptère.

Blanches, telles deux colombes perdues dans ce désert magnifique aux teintes orangées, Sarah et Chloé posent sur un gros rocher, bouquet de fleurs rouges à la main. Un radieux coucher de soleil sert de toile de fond à ce paysage grandiose, où se découpent les montagnes qui ont revêtu les couleurs du ciel enflammé.

— À trois! s'exclame le photographe. Un, deux trois!

Les deux amies, face à face, poussent un petit cri et, se tenant devant leur futur mari, relèvent leur robe d'un côté. Avec un synchronisme parfait, elles lèvent une jambe et, en toute confiance, chacune se laisse tomber vers l'arrière dans les bras de son amoureux, qui l'attrape.

— Excellent! dit le photographe.

— Je t'aime, dit Elliot à Sarah, avant de la remonter vers lui pour l'embrasser.

— Je t'aime, dit Charles à Chloé.

Les filles hurlent leur bonheur à tous les vents dans le Grand Canyon, encouragées par les applaudissements de tous.

Enfin, ils s'engouffrent dans l'hélicoptère, prennent le chemin de la chapelle des fleurs, où ils prononceront leurs vœux.

Arrivés devant la chapelle, ils se soumettent de nouveau au jeu des photos, alors que le voile des mariées voltige dans l'air, tel un long nuage blanc qui sillonne le ciel. Photo truquée, diront-elles plus tard, mais qui est du plus bel effet. Elles sont à Las Vegas après tout! Puis tous vont s'installer à l'intérieur.

L'officiant invite les mariés à prendre place à l'avant. Il demande :

— Est-ce que vous vous engagez à vous aimer toujours, pour le meilleur et pour le pire, dans le bonheur et les épreuves, la santé et la maladie ?

— Oui, oui, et encore oui! répondent les mariés, radieux.

Justine se rappelle ses vœux prononcés il n'y a pas si longtemps, pose sa tête sur l'épaule de Zib, qui lui chuchote à l'oreille :

— Je t'aime, mon amour.

— Je vous déclare maris et femmes! proclame l'officiant, sous une salve d'applaudissements.

La musique nuptiale retentit aux oreilles de tous, émus.

Mais Brigitte ne fait que pleurer, ne peut plus s'arrêter.

Elle se rappelle, elle aussi, ses vœux, ses vœux pour la vie, qui n'ont pas passé l'épreuve du temps. Son voyage en Italie lui a fait réaliser que son mariage avec Jean est bel et bien fini, que sa relation avec Christian l'est aussi. D'ailleurs, a-t-il quitté sa femme ? Elle ne le sait pas et s'en fiche au fond. Elle est parvenue à une nouvelle étape dans sa vie, et Christian lui a servi de tremplin pour y accéder.

Les choses auraient tellement pu se passer autrement.

Mais c'est ainsi qu'elles se sont produites.

Inquiètes, les amies l'entourent d'attentions, de phrases empreintes de sollicitude.

— Je suis stupide, se désole Brigitte, je n'ai pas le droit de pleurer comme ça, c'est votre mariage !

— Ne sois pas triste, lui dit Chloé.

— Ah! *Stupid me!* Je suis trop sentimentale aussi, mais ne vous en faites pas pour moi, on va fêter ça !

— Tu es certaine que ça ira ? demande Sarah.

— Oui, oui, ça ira. Le plus important dans tout ça, c'est que je vous ai rencontrées !

Les filles s'approchent, se serrent les unes contre les autres.

— Oui, fait Justine, et après tout ce que nous avons vécu, nous sommes encore ensemble ! Différents hommes ont passé dans nos vies, mais notre amitié est encore intacte et même plus forte ! ajoute-t-elle, en levant le nez de façon comique sur les maris réunis, l'air de dire qu'elle se moque bien d'eux.

— Mais on les aime, nos hommes... poursuit Chloé.

Les amies approuvent en soupirant longuement, le regard dirigé vers leur conjoint.

Soudainement, Brigitte s'exclame en tournant sur elle-même, devant ses amies :

— Les filles ! Je suis libre ! Oui, je suis enfin libre !

Les amies se regardent, éclatent de rire.

— J'ai fait tout ça pour comprendre où j'en étais, enchaîne Brigitte, maintenant que je comprends, je pleure ! Alors, allons-y maintenant, on va fêter ça ensemble !

Oui, les amies ont beaucoup de choses à fêter ! Tant de choses sont survenues dans leur vie !

Parfois, on doit passer par l'étape de l'amour avec la mauvaise personne pour mieux apprécier justement l'amour avec la bonne personne.

Et n'eût été Brigitte, qui éprouve maintenant le besoin d'être seule pour un temps, et qui l'assume entièrement, les amies auraient obtenu le score de quatre sur quatre.

* * *

Ils célèbrent en grand toute la nuit, jouent dans les casinos, ratissent de nombreux bars de la ville. Lorsqu'ils reviennent à l'hôtel, alors que le soleil pointe ses rayons dorés, ils se retrouvent tous debout dans une des charmantes piscines, s'éclaboussant les uns et les autres, encore tout habillés en robes et en smokings. Puis tout à coup, Chloé tombe à la renverse dans l'eau, en criant :

— Au secours !

Inquiet, Charles accourt vers elle, plonge dans l'eau pour lui venir en aide. Empêtrée dans sa robe, Chloé n'en finit plus de rire, s'accroche au cou de son mari. Charles en profite pour embrasser ses adorables lèvres en forme de cœur.

Attendris, les autres font une trêve pour les regarder un moment. Finalement, pris d'un fou rire à leur tour, ils décident de les suivre et se jettent à leurs côtés, devant les employés affectés à l'entretien, qui observent le spectacle, le menton appuyé sur leurs mains posées sur un balai, les jambes en forme de triangle.

— Un des meilleurs de Las Vegas, dit l'un d'eux.

Enfin, peut-être…

Remerciements

Je remercie, une fois de plus, la merveilleuse équipe de Libre Expression d'avoir accepté de me publier, et spécialement Nadine Lauzon et Miléna Stojanac, qui m'ont accompagnée dans la révision de ma trilogie. Merci pour vos judicieux conseils. Travailler avec vous a été un réel plaisir.

Suivez les Éditions Libre Expression sur le Web :
www.edlibreexpression.com

Cet ouvrage a été composé en Minion Pro 12/14
et achevé d'imprimer en mars 2014 sur les presses
de Marquis imprimeur, Québec, Canada.

certifié   procédé   100% post-   archives   énergie
sans chlore   consommation   permanentes   biogaz

Imprimé sur du papier 100 % postconsommation, traité sans chlore,
accrédité Éco-Logo et fait à partir de biogaz.